ADMINISTRAÇÃO SOB A ÓTICA DOS CONCURSOS

Teorias, contexto prático e mais **271** questões

Copyright © Thiago de Luca
Todos os direitos desta edição reservados à Editora Labrador.

COORDENAÇÃO EDITORIAL
Beatriz Simões Araujo

PROJETO GRÁFICO, DIAGRAMAÇÃO E CAPA
Caio Cardoso

REVISÃO
Regina Helena Plascak
Daniela Pita

Dados Internacionais de Catalogação na Publicação (CIP)
Andreia de Almeida CRB-8/7889

Luca, Thiago de
    Administração sob a ótica dos concursos : teorias, contexto prático e mais de 271 questões / Thiago de Luca. — São Paulo : Labrador, 2016.
    224 p. : il.

Bibliografia
ISBN 978-85-93058-08-0

1. Administração de empresas 2. Administração de empresas – Problemas, questões, exercícios 2. Serviço público – Brasil – Concursos

16-1389   CDD 658

Índices para catálogo sistemático:
1. Administração de empresas : Concursos

Editora Labrador
Rua Dr. José Elias, 520 – sala 1 – Alto da Lapa
05083-030 – São Paulo – SP
São Paulo – SP
Telefone: +55 (11) 3641-7446
Site: http://www.editoralabrador.com.br/
E-mail: contato@editoralabrador.com.br

A reprodução de qualquer parte desta obra é ilegal e configura uma apropriação indevida dos direitos intelectuais e patrimoniais do autor.

THIAGO DE LUCA

ADMINISTRAÇÃO SOB A ÓTICA DOS CONCURSOS

Teorias, contexto
prático e mais
271 questões

Labrador
UNIVERSITÁRIO

Para Marta e Antônio Lúcio

Existem pessoas na vida que se destacam pela sua essência. Dedico este livro à minha mãe pela sua incrível benevolência e capacidade de se adaptar; provavelmente seja uma administradora prática muito melhor do que eu. E ao meu pai (*in memorian*) pelo exemplo, tão bom foi à Polícia Federal quanto foi um bom pai, demonstrando a cada dia o papel do afeto.

Sumário

Agradecimentos, 12

1. Teorias administrativas, 13
1.1 Administração científica, o taylorismo, 13
1.2 Ford e a produção em massa, 18
1.3 A teoria clássica, 19
1.4 Um pouco de humanidade, teoria das relações humanas, 24
1.5 Burocracia, palavrinha famosa! Hein?, 26
1.6 Organização social e complexa, teoria estruturalista, 33
1.7 Teoria de Sistemas, interdependências, 35
1.8 Teoria Contingencial – tudo depende!, 38
1.9 Drucker e a Administração por objetivos (APO), 40
Questões propostas, 42
Capítulo 1 – Gabarito, 47

2. Planejamento e estratégia, 49
2.1 Planejamento, 49
2.2 Hierarquia do planejamento, 52
2.3 Planejamento por cenários, 53
2.4 Administração estratégica, 56
2.5 Diagnóstico da situação atual – missão e visão, 57
2.6 Análise organizacional – ambientes externo e interno, 59
2.7 Escolas do planejamento estratégico, 63
2.8 Porter – forças competitivas e estratégias genéricas, 70
2.9 Ansoff – estratégias genéricas, 73
2.10 Matriz BCG, 75
2.11 Miles e Snow – comportamentos estratégicos, 78
2.12 Samuel Certo – estratégias genéricas, 80

2.13 Estratégias funcionais, 81
2.14 Benchmarking, 82
2.15 Controle estratégico, 83
2.16 Balanced Scorecard (BSC), 84
2.17 Mapas estratégicos, 88
Questões propostas, 90
Capítulo 2 – Gabarito, 97

3. Organização e estruturas, 99

3.1 Organização como função, 99
3.2 Organização como entidade, 101
3.3 Divisão de trabalho, 102
3.4 Especialização, 102
3.5 Hierarquia, autoridade e responsabilidade, 102
3.6 Amplitude de controle, 104
3.7 Centralização, descentralização e delegação, 105
3.8 Departamentalização, 107
3.9 Departamentalização por funções, 108
3.10 Departamentalização por produto ou serviços, 109
3.11 Departamentalização geográfica, 110
3.12 Departamentalização por clientes, 111
3.13 Departamentalização por processos, 111
3.14 Departamentalização por projetos, 112
3.15 Estrutura das organizações, 113
3.16 Estrutura linear, 113
3.17 Estrutura funcional, 114
3.18 Estrutura divisional, 115
3.19 Estrutura matricial, 116
3.20 Estrutura em rede, 117
3.21 Organização por equipes, 118
3.22 Downsizing (enxugamento), 119
3.23 Outsourcing e Global Sourcing, 120
3.24 Configurações de organização, 120
Questões propostas, 130
Capítulo 3 – Gabarito, 137

4. Direção e decisão, 139

4.1 Dirigir!, 139

4.2 Motivação, 141

4.3 Teorias de conteúdo, 142

4.4 Teoria da hierarquia das necessidades, 143

4.5 Teoria dos dois fatores, 146

4.6 Teoria ERC, 148

4.7 Teorias X e Y, 149

4.8 Teoria das três necessidades, 151

4.9 Teorias de processo, 152

4.10 Teoria da expectativa (expectância), 152

4.11 Teoria da equidade, 155

4.12 Teoria do estabelecimento de objetivos, 156

4.13 Teoria do reforço, 157

4.14 Liderança, 158

4.15 Motivação dos liderados, 159

4.16 Traços de personalidade, 160

4.17 Estilos de liderança, 161

4.18 Régua da liderança e Modelo de Fiedler, 163

4.19 Grade gerencial – liderança bidimensional, 165

4.20 Teoria situacional – Hersey e Blanchard, 166

4.21 Tomada de decisão, 168

4.22 Decisões programadas e não programadas, 169

4.23 O modelo de decisão racional, 170

4.24 Racionalidade limitada, 171

4.25 Situação de risco, de incerteza ou de certeza, 171

4.26 Estilos de decisão, 173

Questões propostas, 179

Capítulo 4 – Gabarito, 187

5. Controle e ferramentas de auxílio, 189

5.1 Avaliação, comparação e correção, 189

5.2 Fases do controle, 190

5.3 Tipos de controle, 191

5.4 Indicadores de desempenho, 193

5.5 Six-Sigma, 194

5.6 Brainstorming – Chuva de ideias, 196

5.7 Método 635 – Brainwriting, 197

5.8 Campo dinâmico de forças, 197

5.9 Árvore de decisão, 198

5.10 Panorama da qualidade, 199

5.11 Autores da qualidade, 203

5.12 Fluxograma, organograma e histograma, 209

5.13 Princípio de Pareto, 210

5.14 Diagrama de dispersão e gráfico de controle, 210

5.15 Folha de verificação e estratificação, 212

Questões propostas, 212

Capítulo 5 – Gabarito, 217

6. Bibliografia, 219

O preferível não é o desejo de acreditar, mas o desejo de descobrir, que é exatamente o oposto.
— Bertrand Russell

Agradecimentos

À minha querida irmã Scarllet Sant'ana de Paula e ao meu segundo pai Alberto Antônio de Paula, por me ensinarem a cada dia o papel preponderante de uma família alicerçada no amor.

Se a vida me deu um segundo pai, quando o meu biológico e amado faleceu, a vida também me deu uma segunda mãe, por isso agradeço a ela, minha amada tia Joana Rodrigues Sant'ana.

Ao meu tio Bispo Sérgio Rodrigues Sant'ana, pelos ensinamentos teológicos, complementando a minha formação espiritual.

Aos professores Dra. Eliane de Alcântara, por me introduzir no mundo acadêmico, Euclézio Barbosa, por apoiar-me e impulsionar-me em direção aos sonhos mais difíceis e Fabrício Anselmo, por ser quem é: pessoa de luz, visão e disposição.

Ao escritor e professor Hermínio Sargentim, pelas conversas filosóficas, que constroem inconscientemente o nosso conhecimento, e também por acreditar em mim, um jovem sonhador.

Ao grupo de estudos "Concurseiros Brasil", em especial ao Ítalo Vasconcelos e à Keila Viegas, por ampliarem e diversificarem o meu conhecimento.

A todos os meus alunos, em especial das escolas ETEC de São Sebastião, ETEC de Caraguatatuba, Instituto Verdescola e Colégio Dom Bosco.

À editora Labrador, em especial ao Daniel Pinsky, por tamanha presteza, atenção e zelo.

Teorias administrativas

1.1 Administração científica, o taylorismo

Com a passagem do século XIX para o século XX, dois engenheiros, Taylor e Fayol, criaram as teorias pioneiras da administração: o primeiro criou a administração científica; o segundo, a teoria clássica. O grande papel desencadeador do surgimento dessas teorias, sem dúvida, foi a revolução industrial, que começara ainda no século XVIII. Em resumo, atendo-nos ao que interessa, a produtividade aumentou muito, e a forma de entrega dos produtos evoluiu, isso porque surgiram as máquinas a vapor, impactando diretamente nos navios, por exemplo, e nos trens, e a própria indústria surgiu com força. Com o aumento significativo da produção, surgiu a necessidade de novas formas de administração, até pelo fato de a maioria dos trabalhadores contratados pelas indústrias ter vindo da zona rural, sem muita experiência, e a própria administração, praticamente, não ter métodos administrativos. E é aí que surge a **administração científica**! Cabe salientar que tanto a teoria da administração científica como a teoria clássica e a burocrática estão inseridas na **abordagem clássica**, também chamada de **enfoque clássico**.

A abordagem é algo maior, é um conjunto de ideias, de pensamentos, ou seja, seria o gênero. Comentaremos logo adiante sobre a teoria clássica e a burocrática, mas fica o registro da dica, que algumas vezes as bancas já cobraram! Diante de um cenário de aumento de produtividade – porém quase que sem método de administração pela gerência, com os funcionários trabalhando de corpo mole, sem incentivos, muitas vezes até sem aptidão para o que eram contratados ou sofrendo pela falta de clareza no que deveriam fazer, trabalhavam na base de tentativa e erro –, surge o primeiro grande teórico da administração, o engenheiro Frederick Taylor, que deu origem à **Teoria da Administração Científica,** também chamada de **Taylorismo**.

Taylor percebeu que a produção das indústrias poderia ser feita de forma muito mais produtiva, e com isso manteve o **foco nas tarefas** dos funcionários e procurou formas de melhorar a **eficiência** e **produtividade** das empresas. Taylor acreditava que as tarefas poderiam ser feitas de uma maneira muito melhor, e com isso desenvolveu o **estudo de tempos e movimentos**. Cada tarefa do funcionário, ou seja, cada trabalho, era analisado e cronometrado, e daí surgia a melhor maneira, segundo Taylor, de fazer cada tarefa; era com esse tempo e com essa forma de fazer que a gerência controlava todos os funcionários. Daí também surge o **princípio da especialização**, que, do ponto de vista da Administração, significa que cada funcionário faria apenas uma tarefa; ou seja, haveria uma **divisão do trabalho**.

Partindo da ideia de que treinar o funcionário para uma única tarefa seria muito mais fácil, outro princípio que nasce deste estudo sistemático de tempos e movimentos é o da **padronização**, isso quer dizer que cada tarefa tinha o tempo e a forma correta de se fazer *(one the best way)*. Ambos os princípios tinham como ideia **diminuir a fadiga dos funcionários** – levando em consideração que existia a melhor maneira de fazer as tarefas – e aumentar a produtividade e a eficiência nas tarefas.

Outra característica importante do desenvolvimento de Taylor com a administração científica foi a ideia de que pagar salários mais altos aos funcionários e diminuir o custo da produção com formas eficientes de executar a tarefa, no padrão cronometrado, conforme estudo de tempos e movimentos, era parte da base para incentivar os funcionários e a empresa ter uma maior produtividade. Esta ideia, de incentivar o funcionário materialmente, é associada ao conceito que Taylor chamou de **Homo Economicus**, conforme Chiavenato[1]:

> Segundo esse conceito, toda pessoa é concebida como influenciada exclusivamente por recompensas salariais, econômicas e materiais. Em outros termos, o homem procura o trabalho não porque gosta dele, mas como um meio de ganhar a vida por meio do salário que o trabalho proporciona. O homem é motivado a trabalhar pelo medo da fome e pela necessidade de dinheiro para viver. Assim, as recompensas salariais e os prêmios de produção (e o salário baseado na produção) influenciam os esforços individuais do trabalho, fazendo com que o trabalhador desenvolva o máximo de produção de que é fisicamente capaz para obter um ganho maior. Uma vez selecionado cientificamente o trabalhador, ensinado o método de trabalho e condicionada sua remuneração à eficiência, ele passaria a produzir o máximo dentro de sua capacidade física.

Por fim, entre os tópicos principais e mais cobrados pelas bancas sobre as características da administração científica, há de se citar um problema: ela analisava apenas o ambiente interno da empresa, não levando em consideração todas as variáveis que temos no ambiente externo, como concorrentes, fornecedores, legislação

---

1. CHIAVENATO, Idalberto. *Introdução à Teoria Geral da Administração*. 7. ed. Rio de Janeiro: Elsevier, 2004, p. 61-62.

e muitas outras. Isto quer dizer que a teoria se baseava em um **sistema fechado**, não levando em conta as influências e inter-relações com ambiente externo à organização. Como exemplo, podemos citar que a **administração científica** não estudaria o impacto do surgimento de um novo fornecedor.

Em síntese:

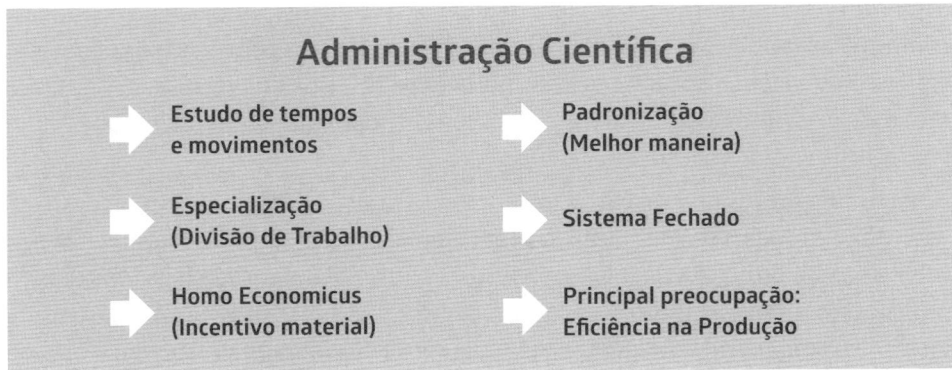

FIGURA 1.1 – Principais características da Administração Científica.

Nem tudo são flores nas teorias administrativas, inevitavelmente cada uma delas é apreciada e recebe críticas. A seguir, conforme os ensinamentos de Chiavenato[2], seguem as principais críticas da administração científica.

Mecanicismo: representa a ideia de considerar os empregados apenas peças de uma máquina (a organização), não levando em conta os fatores humanos dos subordinados. Em suma, tinha um olhar voltado apenas às tarefas e ao cargo/função do operário.

Superespecialização do operário: partia do pressuposto de que as tarefas mais simples, divididas e subdivididas, eram mais fáceis de serem aprendidas e menos fatigantes, porém não percebia que o operário ficava, em pouco tempo, extremamente insatisfeito de sempre fazer a mesma coisa, sem espaço nenhum para a criatividade.

Visão microscópica do homem: enxergava o homem como uma engrenagem da máquina (organização), como um ser individual, ignorando que o trabalhador é um ser humano e tem um papel social. Na execução das tarefas, Taylor considerava apenas as características fisiológicas dos funcionários. Sobre a motivação, seguia a premissa de que os empregados eram motivados basicamente por recursos materiais, como a remuneração baseada em produção, portanto não se atentava muito a outros fatores, como o clima organizacional, por exemplo.

---

2. CHIAVENATO, Idalberto. *Introdução à Teoria Geral da Administração*. 7. ed. Rio de Janeiro: Elsevier, 2004, p. 68-72.

> Nota: A administração científica, além de poder ser chamada de Taylorismo, também é encontrada pelos nomes de Teoria fisiológica da organização e Teoria da máquina, pelos motivos já expostos.

Ausência de comprovação científica: o estudo de tempos e movimentos era feito por um método empírico e concreto, isso significa que os dados eram baseados na evidência, na observação do analista de tempos e movimentos, e não na abstração, conforme explica Chiavenato (2004). Além disso, existiram pouquíssimas pesquisas e experimentações científicas para comprovar as teses da administração científica, fato esse um tanto quanto contraditório, com a proposição de transformar a administração em uma ciência.

Abordagem incompleta: por se tratar de um sistema fechado, não considerava os aspectos externos da organização, portanto, tinha o seu foco voltado totalmente aos problemas de produção na fábrica. Também é incompleta porque não considerava os aspectos informais das organizações, como ligados, por exemplo, à liderança, e também não pensava no aspecto humano e social dos empregados, como o fato de terem uma vida fora da empresa.

Visão simplificada: a gerência se baseava principalmente na competência técnica, acreditando que mais engenharia, melhores métodos e melhores equipamentos produziriam, necessariamente, melhores resultados. Esta é uma visão enganosa, pois muitos outros aspectos devem ser considerados pela gerência.

Vamos ver como as bancas costumam cobrar este conteúdo?

1. (CESPE – 2014 – ICMBIO – Técnico Administrativo) A principal preocupação de Taylor era o aumento da eficiência na produção, o que reduziria os custos e aumentaria os lucros, possibilitando aumentar a remuneração do trabalhador a partir de sua maior produtividade.

    Como vimos, essa foi exatamente a principal motivação de Taylor para criar a administração científica, portanto, a questão está perfeita e o gabarito é certo.

2. (CESPE – 2014 – ICMBIO – Técnico Administrativo) A administração científica constitui uma combinação de princípios, os quais podem ser assim sumariados: ciência, em lugar de empirismo; harmonia, em vez de discórdia; cooperação, e não individualismo; rendimento máximo, em lugar de produção reduzida; e desenvolvimento de cada homem, no sentido de alcançar maior eficiência e prosperidade.

    Ainda no mesmo concurso, houve essa questão, muito mais estruturada e exigindo um maior raciocínio do candidato. O primeiro princípio citado, a ciência, não resta dúvida de estar certo, pois significa dizer que o trabalho baseado no empirismo foi trocado pelo estudado, vide o estudo de tempos e movimentos. O segundo, a harmonia, significa dizer que o operário pensava: se a organização crescer, eu irei ganhar mais – esse era o pensamento harmônico. A cooperação está intimamente ligada à harmonia, significa dizer que a organização paga e o operário produz. A prosperidade nada mais é do que a seguinte conclusão: se a organização cresce, logo todos ganham. O último princípio, "desenvolvimento de cada homem, no sentido de alcançar maior eficiência e prosperidade", foi causador de muita polêmica, mas a afirmativa, assim como a questão toda, está correta, pois o princípio considera apenas o desenvolvimento no sentido de eficiência (para as tarefas) e prosperidade (para o operário), nada diz respeito ao desenvolvimento pessoal, profissional ou humano, por isso, o gabarito da questão é certo.

3. (FUNDEP – 2014 – IFN-MG – Assistente em Administração) Analise as seguintes alternativas relativas aos princípios básicos da teoria da administração científica de Taylor e seus colaboradores e assinale a alternativa INCORRETA.

    a) Produtividade e eficiência do trabalhador.

    b) Seleção científica do trabalhador.

    c) Cooperação entre administração e trabalhador.

    d) Educação e desenvolvimento científico do trabalhador.

    Essa questão nos permite olhar com mais clareza os princípios. A assertiva A está correta e é a principal preocupação que motivou a administração científica. Seleção científica do trabalhador diz respeito ao operário que consegue fazer a sua tarefa da melhor maneira e no melhor tempo, conforme o estudo de tempos e movimento. Também são levadas em consideração características fisiológicas, logo, essa assertiva também está correta. Cooperação entre administração e trabalhador visa aumentar a produtividade para a organização, e, como consequência disso, o operário receber mais, a afirmativa também está correta. O erro da assertiva D está em dizer que a educação e o desenvolvimento são **científicos**, quando, na verdade, existe um desenvolvimento meramente na eficiência das tarefas e na prosperidade do operário (apesar de ser utópico), com isso, nosso gabarito é, de fato, a alternativa D.

4. (CIAAR – 2012 – CIAAR – Oficial Temporário – Administração) A administração científica, que tem em Taylor um de seus ícones, é uma das teorias administrativas consideradas pioneiras na história da administração, apresentando, como um dos princípios, a divisão do trabalho. Qual a consequência imediata da divisão do trabalho na abordagem da administração científica?

a) A cooperação do supervisor.

b) A especialização do operário.

c) O comportamento do operário.

d) O comprometimento do operário.

Como vimos, a divisão do trabalho gerou uma especialização do trabalhador, isto quer dizer que cada trabalhador faria apenas uma única tarefa, portanto, o gabarito é a letra B. A alternativa A diz respeito à relação: empresa paga, funcionário trabalha. O comportamento e o comprometimento do operário sofrem consequências depois de certo tempo e não imediatamente.

1.2 Ford e a produção em massa

Henry Ford foi um dos seguidores de Taylor e, assim como Taylor está associado à administração científica, Ford está associado à **produção em massa**, também conhecida como **fordismo**. Segundo Maximiano (2012), Ford foi quem elevou ao mais alto grau os dois princípios da produção em massa, que é a fabricação de produtos não diferenciados em grande quantidade: **peças padronizadas e trabalhador especializado**.[3] O primeiro princípio diz respeito a peças e componentes padronizados e intercambiáveis, isto significa dizer que Ford passou a utilizar o mesmo sistema de calibragem para todas as peças, em todo o processo de manufatura. Esta situação gerou uma uniformidade das peças, permitindo assim um controle da qualidade. O segundo princípio nada mais é do que uma adaptação da divisão de trabalho da administração científica. Em resumo, cada operário e cada grupo de operários, num sistema de produção massificada, tinham uma tarefa fixa dentro de uma etapa em um processo predefinido.

Um assunto que já caiu algumas vezes em provas é a definição dos três princípios do fordismo explicados por Ford em seu livro *My Life and Work*, que são: a intensificação, a economicidade e a produtividade. O primeiro consistia na redução de tempo de produção empregando imediatamente as matérias-primas com o uso, também imediatos, dos equipamentos de produção em massa. Além disso, almeja a disponibilidade dos produtos no mercado o mais rápido possível. O segundo visava reduzir o estoque da matéria-prima em transformação ao mínimo possível, e o último tinha como objetivo aumentar a produção por operário, devido à padronização da linha de montagem e à especialização do empregado.

Sobre o autor, ainda existem duas informações muito importantes: a primeira sobre o modelo de carro Ford T, que vinha acompanhado de um manual de 64

---

3. MAXIMIANO, Antonio C. Amaru. *Teoria Geral da Administração*. Edição compacta. 2. ed. São Paulo: Atlas, 2012, p. 51.

páginas com 140 perguntas, seguidas pelas respectivas respostas, dos problemas mais prováveis que o carro poderia ter. A segunda, que não poderia deixar de citar, é que Ford, homem de visão voltada para o mercado, em determinada data dobrou o salário e abaixou a carga horária de seus funcionários de 12 para 8 horas, fato este completamente inusitado levando em consideração a época que ocorrera.

Vamos analisar como esse assunto já foi cobrado?

5. (CESPE – 2014 – ICMBIO – Técnico Administrativo) O fundador da Ford Motor Co., Henry Ford, introduziu o sistema de produção em massa por meio da padronização de máquinas e equipamentos, da mão de obra e das matérias-primas e, consequentemente, dos produtos. A fim de atingir esses objetivos, Ford adotou os seguintes três princípios básicos: o princípio do controle, o princípio de economicidade e o princípio de produtividade.

Agora que aprendemos esta questão fica fácil, certo? Os três principais princípios, em se tratando de Ford, são: a intensificação, a economicidade e a produtividade. Portanto, alternativa E.

6. (UFBA – 2012 – UFBA – Administrador) Henry Ford (1862-1947) enunciou três princípios básicos, a saber: a intensificação, a economicidade e a produtividade, sendo que o princípio da intensificação impõe o aumento da capacidade de produção dos colaboradores através da especialização e da linha de montagem.

Esta foi uma questão de grau de acerto baixíssimo, porém, depois de estudarmos, certamente a dificuldade dela se esvai, não é mesmo? A questão está errada porque inverte a definição de intensificação pela de produtividade. A definição correta seria reduzir o tempo de produção com o uso imediato das matérias-primas e dos equipamentos, visando disponibilizar o produto no mercado o mais breve possível. Gabarito errado.

1.3 A teoria clássica

Se, por um lado, a administração científica tinha o foco voltado para as tarefas, por outro, a teoria clássica, de Henri Fayol, **era voltada para a estrutura organizacional das empresas**. Ambas as teorias se desenvolveram no mesmo período e possuíam o mesmo objetivo: a busca da eficiência na produção; Taylor nos Estados Unidos, Fayol na França.

Fayol não só enxergava a **função administrativa como diversa das demais**, mas também como **a mais importante** para a organização. Além disso, dentro da função administrar agrupou 5 outras funções, sendo conhecidas como funções do administrador ou **como processo administrativo**, sendo: prever (planejar), organizar, coordenar, comandar e controlar. Conforme elucida Maximiano[4]:

Prever (planejar): examinar o futuro e traçar um plano de ação a médio e longo prazos;

Organizar: montar uma estrutura humana e material para realizar o empreendimento;

Comandar: manter o pessoal em atividade em toda a empresa;

Coordenar: reunir, unificar e harmonizar toda a atividade e esforço;

Controlar: cuidar para que tudo se realize de acordo com os planos e as ordens.

Além da função administrativa, a teoria proposta por Fayol incluía mais cinco funções distintas, sendo a técnica, a comercial, a financeira, a segurança e a contabilidade, além da já explicada administração. Abaixo, um breve comentário a respeito das funções:

Técnica: relacionada com a manufatura, com a produção de bens e serviços;

Comercial: relacionada com compra, venda e troca;

Financeiras: relacionada com a busca (captação) de capital e administração;

Segurança: relacionada com a proteção dos bens da empresa e com os empregados.

Contabilidade: relacionada com balanços, estoques, custos, estatísticas.

Para ajudar no processo de memorização, segue uma espécie de mapa mental com as seis funções, evidenciando a administrativa, e também as funções do administrador, que ficam dentro da própria função administrativa.

FIGURA 1.2 – Funções de Fayol e o processo administrativo.

---

4. MAXIMIANO, Antonio C. Amaru. *Teoria Geral da Administração*. Edição compacta. 2. ed. São Paulo: Atlas, 2012, p. 57

Sobre Fayol e a teoria clássica, sob a ótica dos concursos, ainda existem 14 princípios que o teórico considerou como princípios gerais da administração. Seguem abaixo:

Divisão do trabalho: designar tarefas específicas para cada pessoa. Resultado: especialização de função de separação de poderes.

Autoridade e responsabilidade: a primeira é o direito de mandar e o poder de ser obedecido, a segunda é consequência da primeira e é a obrigação de prestar contas.

Disciplina: obedecer e respeitar os abordos estabelecidos entre a organização e seus agentes.

Unidade de comando: cada pessoa ter apenas um superior.

> Nota: Adiante, quando entrarmos no tópico de departamentalização, notaremos que a estrutura matricial tem como característica-chave a dualidade de chefia, isto quer dizer que o subordinado terá dois chefes no lugar de um. É importante já ter na cabeça que o princípio da **Unidade de Comando** de Fayol contraria essa visão da departamentalização matricial, e as bancas rotineiramente cobram isso.

Unidade de direção: além de ter um único chefe, ter um único plano (programa) para um conjunto de operações que tenham o mesmo objetivo.

Interesse geral (subordinação do interesse individual): o interesse coletivo está acima do interesse individual, portanto o individual é subordinado ao geral.

Remuneração do pessoal: equitativa, baseada em fatores internos e externos, buscando a satisfação dos empregados e sendo justa.

Centralização: autoridade concentrada no topo da hierarquia.

Cadeia escalar: é a hierarquia propriamente dita. A linha de autoridade que percorre desde o topo da hierarquia até o chão.

Ordem: um lugar para cada coisa/pessoa, e cada coisa/pessoa em seu lugar.

Equidade: tratamento benevolente e justo das pessoas, porém sem abrir mão do rigor, quando necessário.

Estabilidade do pessoal: evitar a rotatividade dos empregados por meio da manutenção das equipes.

Iniciativa: visa aumentar o zelo e a atividade dos empregados.

Espírito de equipe: manter a equipe unida e harmoniosa dentro da organização.

Fayol ainda destacou a **importância dos gerentes** e enumerou 16 deveres que um gerente deve ter. Felizmente, ainda não vi estes deveres serem cobrados em prova e, caso sejam, o candidato deve ter em mente que eles giram em torno dos princípios gerais da administração, exemplificados logo acima. Por exemplo, se a banca citar sobre os deveres dos gerentes e falar em "harmonizar atividades e coordenar esforços", podemos notar uma ligação com o princípio **espírito de equipe**, se falar em "manter a disciplina", podemos reparar a ligação com os princípios "**ordem**" e "**autoridade e responsabilidade**", assim como se citar manter a unidade de comando, o próprio dever nada mais é do que o princípio sendo empregado. Esses três exemplos são alguns dos 16 deveres dos gerentes, segundo Fayol.

Vamos analisar como as bancas têm cobrado este conteúdo?

7. (FGV – 2014 – SUSAM – Assistente Administrativo) As afirmativas a seguir estão baseadas em três dos cinco componentes da função administração, como preconizadas por Fayol. Analise-as e assinale V para a afirmativa verdadeira e F para a falsa.

   ( ) Planejamento: avalia o futuro e elabora um plano de ação de curto prazo.

   ( ) Organização: consolida a estrutura de profissionais, de materiais e de equipamentos para realizar o empreendimento.

   ( ) Controle: garante que os planos elaborados e as ordens dadas sejam rigorosamente obedecidos.

   As afirmativas são, respectivamente,

   a) F, F e F.

   b) F, V e F.

   c) F, V e V.

   d) V, F e V.

   e) V, V e V.

   A primeira assertiva está errada porque, apesar de o planejamento (ou previsão) avaliar o futuro, o plano que ele traça é de médio a longo prazo e não de curto. A segunda assertiva está correta, pois consolidar a estrutura tem o mesmo sentido de montar, e, de fato, é de recursos humanos (profissionais) e de recursos materiais (equipamentos incluídos) que esta estrutura é montada. A última assertiva também está de acordo com a função controlar, que se resume em cuidar para que tudo se realize conforme o plano. Diante da análise, não resta dúvida, a alternativa correta é mesmo a letra C.

8. (CESPE – 2014 – ICMBIO – Técnico Administrativo) A abordagem clássica da administração é um dos marcos para o entendimento de como as teorias organizacionais evoluíram. Outras contribuições teóricas complementares, tais como a teoria da burocracia e de sistemas, também contribuíram para entender o processo. Em relação às diversas teorias organizacionais, julgue os itens que seguem.

De acordo com Henri Fayol, planejamento, preparo, controle e execução são as funções universais da administração.

Questão bem tranquila da Cespe, não acha? Sem muito esforço, conseguimos responder à questão, e o gabarito não pode ser outro senão errado. As funções universais de Fayol, ou funções do processo administrativo, são Planejar (prever), Organizar, Comandar, Coordenar e Controlar. Alguns *concurseiros* gostam de usar a sigla POC3 para ajudar na memorização. Os princípios expostos na questão se referenciam a Taylor ligados à Organização Racional do Trabalho (ORT), mas raramente são cobrados.

9. (CESPE – 2013 – BACEN – Analista – Infraestrutura e Logística) De acordo com os princípios gerais da administração de Fayol, o administrador de uma organização logística deve utilizar a estrutura matricial, com gerentes funcionais e gerentes de projeto, para conduzir adequadamente as equipes e conseguir entregar, no devido prazo, os diversos produtos e serviços que estão sob a responsabilidade da organização.

Essa questão é muito interessante e certamente separa o candidato que acha que sabe do candidato que domina a matéria. Apesar de ainda não entrarmos no tópico de departamentalização, anteriormente foi explicado o princípio da unidade de comando e introduzida a ideia de que a departamentalização matricial incide em duas chefias para cada subordinado, correto? Então, se a questão versa sobre os princípios de Fayol, que preza pela **unidade de comando**, e a departamentalização (estrutura) matricial é baseada em dupla chefia, a resposta não pode ser outra senão gabarito errado. Explicando melhor, Fayol tinha como princípio um chefe para cada subordinado, e não dois.

Antes de avançarmos para a próxima teoria, cabe citar algumas das principais críticas que a teoria clássica recebeu. A centralização era muito intensa, a visão da teoria era exageradamente **focada nas estruturas,** e muitas outras perspectivas foram esquecidas, como os aspectos ligados ao lado humano e a assuntos correlacionados. Assim como Taylor, Fayol acreditava que o ser humano era **Homo Economicus,** trabalhando basicamente inspirado em recompensas materiais. Esta é uma visão míope que ignora fatores como motivação, liderança, desafios, conhecimento, felicidade e muitos outros aspectos informais, que a teoria clássica praticamente não explora.

1.4 Um pouco de humanidade, teoria das relações humanas

Neste caminhar, por volta de 1920 e seus próximos, literalmente, anos, a psicologia e mais uma camada das ciências humanas ganharam força e colocaram um contraste frente a teoria clássica e a administração científica. Aqui, percebe-se que as condições ruins de trabalho, a visão do homem como uma mera extensão da fábrica, estava ultrapassada e não deveria mais ser aceita. Isso não quer dizer que nesse momento todos ficaram bonzinhos e completamente humanizados, o que acontece, na realidade, é que, com os estudos, se percebeu que enxergar o funcionário como um ser humano, seria mais benéfico até para a empresa, que conseguiria maior produtividade.

Acerca desses estudos, que tinham como preocupação entender melhor as pessoas, surgiu o caso **Hawthorne**, desenvolvido por **Elton Mayo**, pesquisador de Harvard. Nesse momento, sugiro uma pausa do leitor para uma melhor respiração, e o porte de uma caneta de grifo na mão, pois o assunto é recorrente em provas.

Mayo buscava entender o efeito da iluminação dentro de uma indústria, com seus respectivos funcionários. No decorrer de seus testes, notava uma variação no rendimento dos trabalhadores, porém independia de qual mudança era feita na iluminação, os funcionários sempre ficavam motivados! Notou, portanto, que os efeitos da iluminação eram irrisórios; o que acontecia de fato é que os funcionários, quando tinham alguma atenção em seus trabalhos, dedicavam-se mais à tarefa buscando desenvolver um bom trabalho quando eram observados.

Neste passo, a visão passou a ser concentrada nas pessoas, no lado humano de alguma forma, e surgiu a figura do *homo social*. Chiavenato (2004) listou as principais conclusões da pesquisa na indústria de Hawthorne[5], conforme seguem:

O nível de produção é resultante da integração social: o nível de produção é determinado pelas normas sociais e expectativas grupais e não meramente a capacidade física ou fisiológica do empregado. É a capacidade social do trabalhador que determina seu nível de competência e eficiência.

Comportamento social dos empregados: o trabalhador age apoiado totalmente no grupo. Qualquer desvio das normais grupais, o trabalhador sofre punições sociais ou morais dos colegas, no intuito de se ajustar aos padrões do grupo.

Recompensas e sanções sociais: o comportamento dos trabalhadores está condicionado a normas e padrões sociais. Operários preferiram produzir menos – e ganhar menos – a pôr em risco suas relações amistosas com os colegas.

---

5. CHIAVENATO, Idalberto. *Introdução à Teoria Geral da Administração*. 7. ed. Rio de Janeiro: Elsevier, 2004, p. 105-107.

Grupos informais: diferente da teoria clássica, que visualizava os grupos formais (hierarquia, autoridade, especialização...), os humanistas se atentaram aos grupos informais (grupos sociais, crenças, etc.), que nem sempre coincidiam com os grupos formais da empresa. **Os grupos informais definem suas regras de comportamento**, formas de recompensas ou sanções sociais, objetivos, escala de valores sociais, crenças e expectativas que cada participante vai assimilando e integrando em suas atitudes e comportamento.

Relações humanas: cada pessoa possui uma personalidade própria e diferenciada, que influi no comportamento e nas atitudes das outras pessoas com quem mantém contatos e é, por outro lado, igualmente influenciada pelas outras. A compreensão das relações humanas permite aos administradores melhores resultados de seus subordinados.

Importância do conteúdo do cargo: observou-se que a especialização proposta pela Teoria Clássica não cria uma organização mais eficiente. Os subordinados trocavam de tarefas para variar e evitar a monotonia. O conteúdo e a natureza do trabalho têm influência sobre a moral do trabalhador.

Ênfase nos aspectos emocionais: elementos emocionais não planejados e irracionais do comportamento humano merecem atenção especial.

Alguns dos comentários de Maximiano[6] sobre o que se deve concluir do estudo de Hawthorne foram:

O bom tratamento por parte da administração, reforçando o sentido de grupo, produz o bom desempenho;

Alguns grupos não atingem os níveis de produção esperados pela administração, porque há, entre seus membros, uma espécie de acordo que define uma quantidade "correta", que é menor, a ser produzida;

a. O indivíduo pode ser mais leal ao grupo do que à Administração;

b. A administração deve entender e fortalecer as relações com os grupos;

c. A responsabilidade da administração é desenvolver as bases para o trabalho em equipe, o autogoverno e a cooperação;

d. O supervisor de primeira linha deve ser não um controlador, mas um intermediário entre a administração superior e os grupos de trabalho;

e. O conceito de autoridade deve basear-se não na coerção, mas na cooperação e na coordenação.

---

6. MAXIMIANO, Antonio C. Amaru. *Teoria Geral da Administração*. Edição compacta. 2. ed. São Paulo: Atlas, 2012, p. 160

Assim como em todas as teorias, e com a TRH não foi diferente, surgiram críticas. A primeira, por não considerar os diversos fatores externos, como concorrência, variação cambial, etc. Isto quer dizer que, assim como a Teoria Clássica, a Teoria das Relações Humanas também funcionava em um **sistema fechado**. Outra crítica averbada por diversos autores diz respeito à relação "Técnica X Motivação". Não é porque um funcionário está feliz que necessariamente produzirá mais e, neste âmbito, podemos imaginar aquele funcionário que troca de função, muito provavelmente ele faz melhor uma função que a outra, portanto, quando está executando uma função que não domina, simplesmente por estar mais feliz e fugir da monotonia, não necessariamente estará produzindo mais, uma vez que um funcionário com melhor técnica, não muito feliz, de repente pode produzir melhor tal processo. Outra crítica notada é que, algumas vezes, não poucas, o interesse dos indivíduos é contrário ao interesse da administração, e isso deve ser administrado, e não ignorado ou negado.

Vamos praticar?

10. (CESPE – 2013 – MJ – Administrador) A Teoria das Relações Humanas é marcada pela introdução da aplicação de uma abordagem mais humanística na administração das organizações, em que seu foco são as pessoas, e não as tarefas.

    Depois da explicação fica fácil, não é mesmo? A questão está corretíssima, apesar de a TRH permanecer abordando a organização como um sistema fechado, o seu foco passa a mirar as pessoas e não as tarefas, como fez Taylor, ou às organizações formais, como fez Fayol. Neste contexto, a TRH teve uma visão humanística, pois considerou em sua abordagem os grupos sociais, a presença de liderança, e outros aspectos humanísticos.

1.5 Burocracia, palavrinha famosa! Hein?

Antes de começarmos a discutir a Teoria da Burocracia, sugiro ao leitor uma pausa para tomar um café e, neste processo, esvaziar tudo que você já escutou nas ruas sobre a burocracia. Muito do que você provavelmente já escutou, até comentaremos, mas como disfunções de uma teoria que tem como objetivo corrigir ou adequar o Estado e as grandes organizações a uma administração mais correta. Não entendeu? Então vamos explicar com calma.

A teoria da burocracia surge na década de 1940 para suprir a necessidade de uma administração mais coerente, haja vista que a teoria clássica, a teoria das relações humanas e os seus desdobramentos não cumpriam mais o seu inteiro papel e ansiavam por uma evolução, além de, em muitas partes, serem contraditórias. Nessa época, fazia-se necessário um estudo da organização como um todo, visando um combate mais efetivo dos desperdícios, uma eficiência maior e, no caso do Estado, combater a corrupção e alinhá-lo a uma administração mais adequada.

Imaginem um estado categoricamente patrimonialista, em que o que era da Administração Pública se confundia com o que era do Administrador, isto é: a cadeira aconchegante da prefeitura poderia ser trocada pelo Prefeito por uma velha, que ele tinha em sua casa, ou ainda, de forma mais grotesca, o Prefeito poderia nomear o seu irmão a um cargo, a sua irmã a outro, o seu sobrinho a outro, e desta forma lotar a Prefeitura de amigos e familiares, pouco considerando a natureza do cargo e a qualificação técnica de seus indicados.

Nesse ângulo, podemos enxergar as benesses da Burocracia, a qual contribuiu para a adequação da administração pública com o incremento de formalismo, em que as normas e regras deveriam ser respeitadas e trazendo, também, a ideia de profissionalismo e impessoalidade, em que funcionários deveriam ser contratados por mérito e não por afinidade. Portanto, observamos que a Burocracia de Webber foi, de fato, um avanço da ideia patrimonialista na esfera pública.

Agora, seguindo a proposta do livro, listemos as características mais importantes e mais cobradas pelas bancas em concursos a respeito da burocracia. Convém ressaltar que, em geral, elas decorrem da racionalização absoluta em tudo quanto é processo. Sempre carregue isso em mente!

Formalidade e autoridade: no formalismo, podemos citar o caráter legal das normas, que são devidamente escritas, detalhadas e expressas de forma com que todos, habilitados, tenham acesso; convém destacar que a autoridade do chefe deriva dessas normas, assim como o seu poder está intimamente ligado aos pressupostos organizacionais, isto é: ao que a organização propõe, aos seus objetivos. Fora do ambiente de trabalho, o sicrano que é chefe de beltrano, volta a ser apenas o sicrano. Voltando ao formalismo, as comunicações também devem ser feitas de modo formal, ou seja, na forma escrita, seguindo assim procedimentos padronizados, para manter uma ordem e gerar uma documentação que comprove o que foi informado, quando e para quem.

Impessoalidade e hierarquia: no campo das relações, a impessoalidade não traz mistério, a distribuição de tarefas e de ordens gerais é imposta em decorrência do cargo ou da função e nunca em decorrência da pessoa como pessoa. Por exemplo: se eu mandei o Thiago escrever um relatório, é porque é a função dele escrever este relatório e não porque não gosto dele e quero lotá-lo de serviço. Quanto à hierarquia, a ideia é que os cargos sejam estabelecidos segundo um princípio hierárquico, e que nenhum deles fique sem supervisão ou – ao menos – controle. Ainda nesta seara, a ideia de hierarquia serve para mitigar o atrito e o arbítrio, isto quer dizer que tanto o chefe quanto o subordinado estão cobertos por um regramento, evitando assim quaisquer extrapolações e alegações de desentendimentos, uma vez que o papel de cada já está definido e normatizado.

Profissionalismo e meritocracia: na burocracia, cada funcionário é considerado um especialista no que faz. Quanto mais alta a sua posição hierárquica, mais é considerado um generalista; e quanto mais baixa, mais especialista é no que faz. Ainda na teia do profissionalismo, é importante dizer que cada funcionário é assalariado, portanto recebe de sua organização um salário e não quaisquer títulos ligados a honra. Ainda sobre salário, noutro plano, é importante dizer que este funcionário jamais deveria receber o pagamento de um cliente, mas apenas manter a sua orientação na organização. Sobre meritocracia, que está intimamente ligada ao profissionalismo, podemos dizer que o funcionário é admitido, demitido ou promovido por meio de sua capacidade e competência. Ainda em decorrência do mérito, o funcionário segue uma carreira dentro da organização, podendo avançar dentro de uma sistemática de promoção, ao longo de sua vida na organização.

O próprio Weber ponderou as características da Burocracia e chegou no consenso de que a formalidade, a impessoalidade e o profissionalismo formam o **tipo ideal de burocracia**. Abaixo um resumo bem sintetizado, uma vez em que já foi paulatinamente explicado.

Formalidade: burocracia é essencialmente um sistema de normas, e a figura da autoridade é definida pela lei.

Impessoalidade: tarefas e ordens são distribuídas em decorrência do cargo e não da pessoa em si. Todas as pessoas seguem as normas.

Profissionalismo: funcionários ocupam cargos por competência e capacidade, recebem salários e podem fazer carreira devido a seus méritos.

Ainda sobre a Teoria da Burocracia, vou destacar aqui dois campos de visão que – confesso – não são muito cobrados em provas, mas é sempre bom estar à frente de seu concorrente, certo?

O primeiro assunto diz respeito à forma de como Weber enxergava a sociedade e definia os seus tipos, conforme Chiavenato[7]:

Sociedade tradicional: existe uma predominância de características patriarcais, como a família, o clã, a sociedade medieval, etc.

Sociedade carismática: há de se pensar em algo revolucionário, místico, arbitrário. Exemplifica os partidos políticos e as nações em revolução.

---

7. CHIAVENATO, Idalberto. *Introdução à Teoria Geral da Administração*. 7. ed. Rio de Janeiro: Elsevier, 2004, p. 258-261.

Sociedade racional/legal/burocrática: é baseada na racionalidade, em normais impessoais. É o que deve acontecer nas grandes empresas, nos estados modernos, no exército.

Chiavenato (2004) também ensina como Weber enxergava a **autoridade** e o **poder**. Primeiro, explica que autoridade significa "probabilidade de que um comando ou ordem específica seja obedecido", enquanto o poder "implica potencial para exercer influência sobre as outras pessoas", e também, é a "probabilidade de impor a própria vontade dentro de uma relação social, mesmo contra qualquer forma de resistência e qualquer que seja o fundamento dessa possibilidade".

No seu modelo burocrático, Weber pontuou um tipo de autoridade mais adequada para cada modelo de sociedade, conforme descrito acima.

Autoridade tradicional: em suma, o poder tradicional não é racional, mas sim, é transmitido por herança e é extremamente conservador. Sua legitimação advém da crença no passado eterno, na justiça e na maneira tradicional de agir. O líder transmite a imagem do senhor que comanda em virtude de seu status de herdeiro ou sucessor. Impõe ordens pessoais e arbitrárias, seu limite é baseado pelos costumes e hábitos.

Autoridade carismática: neste conceito, o líder carismático tem um poder que não pode ser recebido e nem delegado, ele é natural, é uma qualidade indefinível e extraordinária de uma pessoa. Sua legitimidade nasce de suas características pessoais carismáticas e da devoção e arrebatamento que impõe aos seus seguidores. Como exemplo, Chiavenato (2004) cita alguns líderes políticos, como Hitler, Kennedy e, também, no campo da indústria cita Ford.

Autoridade racional/legal/burocrática: Aqui, o líder exerce o seu poder porque tem uma legitimação baseada em normas e regramentos, os subordinados aceitam as ordens porque são justificadas dentro do formalismo da empresa. Este é o líder-modelo de tudo o que comentamos neste tópico.

Para encerrar o modelo burocrático, vou comentar sobre as disfunções burocráticas, que nada mais são dos que os problemas gerados pela teoria, a execução errada da "burocracia pura". Cabe destaque:

> As bancas vão colocar uma disfunção da burocracia na questão e falar que é uma caraterística da teoria, quando na verdade é uma falha gerada por diferentes motivos, como a execução errada da teoria.

Abaixo, listo as principais **disfunções da burocracia**, reiteradamente cobradas em concursos.

As regras viram prioridade: o funcionário esquece a importância da flexibilidade na organização, como forma racional de conseguir alçar os objetivos. Este dá mais valor às regras do que aos próprios objetivos da organização, vira um especialista, porém não em sua atividade e sim nas regras e nos procedimentos.

Excesso nas formalidades: no interesse de documentar e comprovar tudo, muitas vezes é gerado um excesso de papéis, como formulários, cadastros, etc. Esta provavelmente seja a principal disfunção da Burocracia, mas não se enganem, isto não é uma característica da burocracia pura, de Weber, e sim uma disfunção gerada caso a caso.

Resistência a mudanças: como o funcionário vive religiosamente as regras e os procedimentos da organização, seguindo sempre uma uniformidade e um padrão, quando surge alguma mudança, a qual ele não está esperando, ele perde a sua segurança e tranquilidade, saindo assim de sua zona de conforto. Essa quebra de conforto gera resistência por parte do funcionário, que pode ser transmitida de forma passiva, quieta, ou de forma ativa, com reclamações, greves e comportamentos mais agressivos.

Mais atenção na organização do que no cliente: na preocupação de atender aos objetivos organizacionais, seguir catedraticamente cada regulamento, norma ou procedimento, o funcionário, muitas vezes, trata todos os clientes da mesma forma padronizada e isto inevitavelmente gera conflitos, uma vez que os clientes necessitam de soluções e atendimentos personalizados.

Lentidão e categorização no processo decisório: a hierarquia e a formalidade sendo levadas a sério no maior grau possível, certamente limita a flexibilização na hora da tomada de decisão. Na burocracia, sempre quem tomará a decisão será quem está numa posição hierárquica mais elevada, mesmo que não seja o maior conhecedor no assunto em que deverá tomar uma decisão; porém, se por um lado isto torna o processo decisório mais lento, por outro, esta categorização aumenta a busca de alternativas e estereotipa melhor os assuntos a serem resolvidos.

Bastante assunto, né? Resolvi dar um pouco mais de atenção neste tema, uma vez em que é cobrado tanto como conteúdo de administração geral como de administração pública, que explica a transição do modelo patrimonialista para o modelo burocrático. Pois bem, vamos a uma questão?

11. (CS – UFG – 2015 – AL-GO – Assistente Legislativo – Assistente Administrativo) Na década de 1930, com o nascimento da República Nova, houve uma tentativa de profissionalizar a Administração Pública brasileira com a criação do Departamento de Administração do Serviço Público – DASP. Por intermédio do DASP, promoveu-se a estruturação básica do aparelho administrativo instituindo-se, por exemplo, o concurso público e as regras para admissão. Tal modelo buscou modernizar a máquina pública e ficou conhecido como

a) modelo burocrático.
b) modelo patrimonialista.
c) modelo gerencial.
d) modelo do novo serviço público.

Esta é uma questão de administração pública e, apesar de não fazer parte do escopo deste projeto, vou aproveitar e fazer um gancho para traçar alguns breves comentários. Primeiramente, fica comprovado que, de fato, o tema burocracia é cobrado multidisciplinarmente. Num segundo plano, mesmo que o *concurseiro* não conheça sobre a reforma do DASP, com os indicativos dados pelo comando da questão "concurso público", "regras para admissão", fica bem intuitiva a resposta, correto? Não poderia ser outra, senão a alternativa A, "modelo burocrático". Com o intermédio do DASP, institutos como "concurso público" e "treinamento" foram instrumentalizados à época.

12. (CESPE – 2015 – TRE-GO – Técnico Judiciário – Área Administrativa) O Departamento Administrativo do Serviço Público (DASP), criado nos anos 30, tinha por objetivo a desburocratização da administração pública do Brasil mediante a modernização de estruturas e processos.

Percebem como o assunto é recorrente? Dessa vez a questão é de outra banca, mas ainda em 2015, e versa sobre o mesmo tema, todavia, dessa vez, como provavelmente todos notaram, a banca colocou um objetivo errado para o DASP. O correto seria a burocratização por meio de institutos como "Concurso Público" e "Treinamento", baseado nos preceitos da impessoalidade, da meritocracia, do profissionalismo, da formalidade... Gabarito errado. Agora vamos resolver questões mais ligadas à administração geral. Mas antes, segue um mapa mental:

Características da Burocracia

Formalidade: Comunicação, normas e procedimentos padronizados. A autoridade provém da lei, daí sua legitimidade.

Impessoalidade: Tarefas/Ordens distribuídas em função do cargo. Plano de carreira baseado na meritocracia. Todas as pessoas seguem a norma (isonomia).

Racionalidade: Assalariado ($); Hierarquia; especialistas; carreira.

Disfunções da Burocracia

| Priorização das Regras | Excesso de Formalismo | Lentidão e Categorização no processo decisório | Resistência a mudanças | Atenção na organização, mas e o cliente? |

FIGURA 1.3 – Características e Disfunções da Burocracia.

13. (CESPE – 2013 – TCE-RO – Agente Administrativo) Segundo Max Weber, a organização burocrática viabiliza uma forma de dominação racional, que possibilita o exercício da autoridade e a obediência com precisão, continuidade e disciplina.

    Esta é uma questão que inicialmente assusta e por isso que eu a escolhi. Vamos resolver com calma. O primeiro comando importante está em "dominação racional", ora, se um dos pilares da burocracia é a racionalidade, tendo tudo baseado em leis, normas, procedimento, inclusive a autoridade do líder burocrático, que também é conhecido como líder racional, é claro que este comando está correto. O restante do comando da questão, em que versa sobre a precisão, a continuidade e a disciplina com que a autoridade e a obediência são encaradas, está mais do que correto, sendo todas facilmente interpretadas como decorrências do regramento, da lei. Se o líder burocrático tem a sua autoridade legitimada pela lei organizacional, é claro que a sua obediência deve ser precisa, continuada e recebida com disciplina, uma vez que ele tem legalidade para exercer a sua autoridade e manifestar o seu poder (legal). Gabarito correto.

14. (VUNESP – 2009 – CETESB – Analista Administrativo – Econômico-Financeiro) Estão entre as características principais da burocracia, segundo Weber,

    a) o acúmulo de papéis e documentos.

    b) o caráter legal das normas e regulamentos.

    c) o nepotismo e favorecimentos.

    d) a aplicação de procedimentos científicos.

    e) a lentidão na tomada e execução de decisões.

    Esta é uma questão típica do nosso tema, em que tenta misturar as características da burocracia com as disfunções. A alternativa A está errada porque é uma disfunção burocrática e não uma característica, o acúmulo de papéis e documentos está ligado ao excesso de formalismo. A alternativa C está errada porque a burocracia tem como um de seus objetivos justamente combater a administração patrimonialista, que permite a prática do nepotismo e de favorecimentos pessoais. A alternativa D está errada porque a teoria weberiana se baseia num regramento de normas e procedimentos decididos pela organização como bem acha justa e não por procedimentos científicos testados e ratificados. A alternativa E está errada porque a lentidão na tomada e execução das tarefas é considerada uma disfunção da burocracia e não uma característica. Assim sendo, não resta outra senão a alternativa B como característica da burocracia.

15. (ACAFE – 2009 – MPE-SC – Analista do Ministério Público) Com relação às disfunções da burocracia, todas as alternativas estão corretas, exceto a:

a) desestímulo à inovação; satisfação de interesses pessoais; mecanicismo.

b) particularismo; hierarquia; mecanicismo.

c) individualismo; excesso de regras; resistência a mudanças.

d) formalidade; profissionalismo; impessoalidade.

e) interrupção do fluxo de informação; particularismo; excesso de regras.

Desta vez, o comando da questão inicia versando sobre as disfunções burocráticas, entretanto, quando a banca usa a expressão "exceto", ela volta a cobrar as características da burocracia. Sobre a alternativa A, ela está errada, pois "desestímulo à inovação, satisfação de interesses pessoais e mecanicismo" são disfunções; autores como Perrow e Roth ratificam esse ensinamento. A alternativa B também se trata de disfunções, "particularismo e hierarquia" são pontuados por Perrow como disfunções, "mecanicismo" é citado por Roth. A alternativa C também se trata de disfunções e são novamente averbadas pelos autores citados, assim como por Merton. Finalmente, a alternativa D é o nosso gabarito; "formalidade, profissionalismo e impessoalidade" formam o tipo ideal do modelo burocrático de Weber. A alternativa E, novamente, traz disfunções.

1.6 Organização social e complexa, teoria estruturalista

Enquanto a teoria clássica estudava as relações formais da organização, a teoria das relações humanas estudava as relações informais; em muitas situações, essas teorias eram incompatíveis e por isso se fez necessário uma visão mais abrangente e integradora, e é neste cerne em que surge a teoria estruturalista. O estruturalismo acrescentou bastante com a percepção de que, por as organizações serem uma unidade social e complexa, os seus integrantes poderiam compartilhar alguns objetivos organizacionais, mas também poderiam discordar e ser contrários a outros, como, por exemplo, a forma de como a empresa desenha o plano de carreira dos funcionários.

O humanista **Etzioni** crê que as organizações, por serem unidades sociais e complexas, possuem objetivos específicos e por isso não se encaixam num modelo universal. O autor agrupa as organizações em três categorias, que são definidas pelo tipo de poder que exercem nas pessoas. Segue uma tabela inspirada nos ensinamentos de Maximiano[8].

---

8. MAXIMIANO, Antonio C. Amaru. *Teoria Geral da Administração*. Edição compacta. 2. ed. São Paulo: Atlas, 2012, p. 72.

Tipo de poder	Contrato psicológico	Tipo de organização
Poder coercitivo: é baseado em punições.	**Alienatório:** obedecer sem questionar.	**Coercitiva:** tem como objetivo controlar os comportamentos.
Poder manipulativo: é baseado em recompensas.	**Calculista:** obediência interesseira.	**Utilitária:** tem como objetivo obter resultados por meio de barganhas com funcionários.
Poder normativo: é baseado em crenças e símbolos.	**Moral:** disciplina interior.	**Normativo:** tem como objetivo realizar missão ou tarefa em que os participantes acreditam.

Por ser um assunto pouco cobrado em provas, não cabe tanto destaque quanto aos tipos de organizações a ponto de ficar discorrendo folhas e folhas, mas é bom ter em mente esta classificação e, com o auxílio do quadro, temos uma boa noção do que cada uma representa. Apenas para a consciência do autor que vos escreve ficar tranquila, vou citar alguns exemplos em um outro quadro, sobre cada tipo, com base, ainda, nos ensinamentos de Maximiano.

Tipos de organizações segundo Etzioni	Exemplos
Coercitiva	Prisões e Hospitais penitenciários
Utilitária	Empresas de Negócio
Normativa	Organizações Religiosas

Do mesmo modo que Etzioni classificou as organizações em estereótipos, diversos autores fizeram classificações sobre o homem e a organização, na busca de achar tipos e facilitar seus estudos. Felizmente, o assunto não é tão cobrado em prova, então não vale pontuações específicas de autor por autor, já que o objetivo do livro não é ser um completo manancial teórico. Chiavenato e Maximiano já fazem isso, e muito bem, diga-se de passagem.

No que tange a teoria estruturalista, eu gostaria de acrescentar apenas o surgimento do conceito de "**homem organizacional**", aquele que desempenha diversos papéis em diferentes organizações. O homem organizacional tem como características a flexibilidade, a tolerância às frustrações, a capacidade de adiar recompensas e o permanente desejo de realização. É o que ensina Chiavenato (2004).

16. (CESPE – 2013 – INPI – Analista de Planejamento – Arquivologia) A teoria estruturalista das organizações constituiu-se a partir do aprofundamento dos aspectos formais da Escola Clássica, da teoria burocrática de Max Weber e da negação das contribuições da Escola das Relações Humanas.

Até a palavra "Weber" estava tudo certo, daí em diante a questão ficou errada, uma vez que a teoria estruturalista não negou as contribuições da TRH, mas sim ampliou e complementou, considerando a organização como um todo e não como partes. Novamente, a teoria estruturalista veio para integrar as teorias anteriores que, muitas vezes, eram contrárias. Em outro ponto, veio para complementar, levando em conta que as demais teorias consideravam pontos, mas não a totalidade, deixando assim hiatos a serem observados. Gabarito errado.

1.7 Teoria de Sistemas, interdependências

A Teoria de Sistemas (TGS) trata as organizações como personalidades complexas. Mas, o que é complexidade? Este conceito diz respeito a situações em que existem problemas e variáveis, diante disso, as eventuais soluções são conduzidas por um pensamento racional que considere os diferentes caminhos, antes de tomar uma decisão. Em síntese, uma situação problemática pode ser ocorrida por diversas causas, pode gerar diversos resultados e pode haver diversas soluções para essa situação complexa. A figura abaixo traz um desenho sobre o exposto.

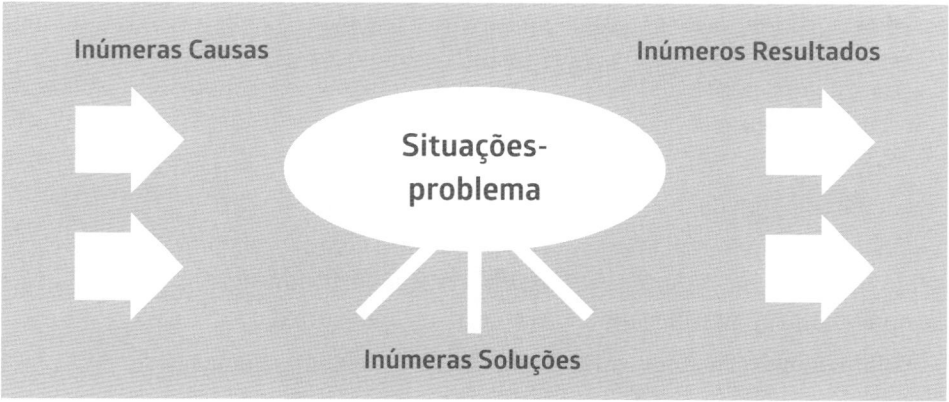

FIGURA 1.4 – Complexidade.

É muito importante entender a ideia de complexidade porque ela está intimamente ligada à Teoria de Sistemas. O **sistema é definido como um conjunto de partes que formam um todo,** em geral complexo. Ainda sobre a ideia de sistema, precisamos entender que **as partes (elementos) se relacionam,** ou seja, interagem, e que funcionam tanto isoladamente quanto conjuntamente. Quando funcionam como um todo, nasce a ideia de uma nova entidade distinta, criada por essa **inter-relação.** Imaginem que o departamento de marketing de uma empresa tem um papel bem definido, como Departamento de Marketing, mas que, quando se relaciona com Vendas ou com Produção, passa a ser visto como uma nova entidade, uma entidade mais complexa? Neste pequeno exemplo, a gente pode perceber que as partes (no caso, o departamento de marketing) não só funcionam isoladamente, mas, também, conjuntamente. Deste plano, surge também o conceito de **interdependência**, uma organização é formada por várias partes (Departamento de Recursos Humanos, Departamento de Produção, Departamento de Vendas, etc.), todas elas devem funcionar com eficiência e eficácia, porém, ainda que funcionem isoladamente, uma depende da outra para a organização alcançar o sucesso agregado.

Agora que o leitor já está mais contextualizado e familiarizado com a ideia de sistemas, seguem as principais características da TGS[9]:

Entrada (input): é tudo que o sistema recebe ou importa do mundo exterior. Do lado de fora da organização.

Saída (output): é todo o resultado do que a organização produziu que está sendo externalizado. Exemplos: bens ou serviços, poluição, informações.

Retroação (feedback): é o retorno de uma parte do que foi produzido. Volta à entrada. Este retorno demonstra possíveis discrepâncias e desvios em relação ao estabelecido e implica correções e modificações. A retroação pode ser **positiva**, quando estimula a saída (produção de resultados), ou **negativa**, quando inibe a saída.

Caixa preta (black box): é um sistema que não pode ser facilmente acessado, como o cérebro humano, por exemplo. Desta forma, temos acessos apenas às entradas e saídas, o campo periférico. Quando o sistema passa a ser descoberto, é considerado uma **caixa branca**, e aí pode-se estudá-lo por completo.

Homeostasia: é um equilíbrio dinâmico obtido pela autorregulação. É a capacidade que o sistema tem de manter certas variáveis dentro de limites.

Infelizmente, a Teoria de Sistemas é um assunto muito recorrente em provas, e os seus conceitos com as suas respectivas definições são cobrados pelas bancas, que se aproveitam da vastidão do tema. Abaixo seguem outros conceitos:

Equifinalidade: existem vários modos de se atingir um objetivo, e não uma única forma.

Visão holística: enxerga a situação ou organização considerando as partes, as inter-relações e o todo. Qualquer alteração feita nas partes afeta o todo.

Entropia: refere-se à perda de energia em sistemas isolados. Significa que partes do sistema perdem sua integração e comunicação entre si, podendo fazer que o sistema se decomponha.

---

9. CHIAVENATO, Idalberto. *Introdução à Teoria Geral da Administração*. 7. ed. Rio de Janeiro: Elsevier, 2004, p. 418-422.

Entropia negativa: refere-se a uma recarga de energia no sistema, evitando a sua decomposição.

Em síntese:

Principais Conceitos da Teoria dos Sistemas:
- Interdependência
- Feedback
- Homeostasia
- Entrada / Saída
- Caixa preta
- Entropia / Entropia negativa
- Visão holística

FIGURA 1.5 – Conceitos da Teoria de Sistemas.

Antes de avançarmos, vamos praticar um pouco de exercícios? Afinal, conhecemos diversos conceitos nesta teoria.

17. (CESPE – 2013 – ANTT – Analista Administrativo) Entre as ideias apresentadas na teoria geral dos sistemas desenvolvida pelo biólogo alemão Ludwig von Bertalanffy, incluem-se a interdependência entre as partes — teoria segundo a qual o todo é formado por partes interdependentes — e o tratamento complexo da realidade complexa — concepção que se refere à necessidade de aplicar diferentes enfoques para se compreender realidades cada vez mais complexas.

A questão retrata exatamente a forma como falamos sobre a TGS, no comando da questão notamos termos como "interdependência", "diferentes enfoques", "realidade complexa", institutos que alicerçam a Teoria de Sistemas e por este motivo o gabarito não poderia ser outro, senão correto.

18. (CESPE – 2011 – Correios – Analista de Correios – Administrador) A entropia positiva ocorre quando uma organização busca insumos ou matérias-primas para convertê-los em produtos que atendam às necessidades de clientes.

Ler uma questão dessas agora, até parece um absurdo, não é mesmo? Depois do entendimento do conceito fica muito fácil pontuar em uma questão desse tipo na prova. O gabarito da questão é errado, uma vez que a palavra entropia está ligada à desintegração, ao desgaste, à decomposição do sistema.

19. (CESPE – 2011 – PREVIC – Analista Administrativo – Área Administrativa) As saídas devem ser coerentes e com os objetivos estabelecidos; no entanto, em função da retroalimentação, não devem ser quantificáveis.

Esta é uma questão interessante e que nos permite trabalhar outro conceito, o conceito de saída. Ora, se as saídas nada mais são do que os resultados produzidos e exteriorizados, e a função da retroalimentação (feedback) tem caráter de controle, uma vez que busca corrigir os desvios, é lógico que as saídas **devem** ser quantificáveis, assim servindo de parâmetros para a autorregulação. Gabarito errado.

1.8 Teoria Contingencial – tudo depende!

Tem como alicerce os principais conceitos aprendidos na Teoria dos Sistemas. Baseia-se na ideia da organização como um sistema aberto, em contínua interação com o ambiente onde ela está inserida. Defende que uma **variedade de fatores, tanto internos quanto externos à empresa, pode influenciar seus resultados**[10].

Sobral e Peci (2008) explicam que o enfoque contingencial, diferentemente das ideias clássicas de Taylor e Fayol, as quais os princípios tinham caráter universal, leva em consideração caso a caso, de forma que cada situação deve ser analisada, gerando assim a **máxima "tudo depende"**. A ideia de que **não existe uma única melhor maneira de administrar e organizar** também está intimamente ligada à perspectiva contingencial.

A teoria contingencial acredita que existe uma relação funcional entre as variáveis dependentes e as variáveis independentes. O plano das ações da organização, mais ligado à estrutura e ao comportamento organizacional, seria as variáveis dependentes, enquanto as independentes estariam ligadas ao ambiente externo.

O foco do *concurseiro* nesse tema deve estar voltado, em suma, ao seguinte: não existe uma única melhor maneira de administrar, organizar ou alcançar um objetivo; existem vários caminhos a serem seguidos, e o gestor da organização deve avaliar as contingências antes de tomar uma decisão. Seguem as principais contingências que o gestor deve considerar:

Ambiente externo: ambientes mais estáveis e previsíveis demandam estruturas mais burocratizadas, com divisão clara de tarefas, responsabilidades e funções. Por outro lado, ambientes com alto grau de incerteza e complexidade demandam estruturas com maior grau de inovação, organizações mais flexíveis.

Ambiente interno: os pontos fortes e fracos da organização também vão influenciar na tomada de decisão.

Tamanho da organização: mede-se de diferentes formas, tais como: número de pessoas, faturamento, valor patrimonial, entre outros. A variação do tamanho

---

10. SOBRAL, Felipe; PECI, Alketa. *Administração*: Teoria e prática no contexto brasileiro. São Paulo: Pearson Prentice Hall, 2008, p. 58.

influencia na coordenação, uma organização que passa de cem funcionários para dois mil funcionários certamente terá que se reorganizar.

Tecnologia: está ligada ao processamento de transformação de insumos em produtos ou serviços. À medida que a complexidade tecnológica muda, os estilos de liderança, controle, estrutura, administração em geral também mudam.

Tarefa: a atividade que a organização realiza influencia diretamente na sua administração. Tarefas mais complexas necessitam de uma maior interação entre os membros de uma empresa.

Como decorrência da teoria contingencial nos dias de hoje, os administradores consideram que uma estrutura organizacional está inserida em um ambiente complexo e mutável, por isso necessita de certa flexibilidade e adaptabilidade ao ambiente externo e às novas tecnologias.

Vamos praticar?

20. (CESPE – 2012 – ANATEL – Analista Administrativo) O modelo de abordagem contingencial da administração pressupõe alto valor agregado e prioriza as habilidades técnicas na estrutura administrativa.

O modelo que prioriza as habilidades técnicas se encontra na abordagem clássica, principalmente no modelo burocrático em que os pressupostos do profissionalismo e da meritocracia são levados à risca. Na teoria contingencial, temos uma priorização do desenho organizacional, o qual sofre influência de contingências, tendo como as principais influências a tecnologia e o ambiente externo. Gabarito E.

21. (FCC – 2012 – TRF – 5ª Região – Analista Judiciário – Área Administrativa) A Teoria da Contingência considera as características do ambiente que determinam o projeto da estrutura de uma organização e os sistemas de controle. As organizações em ambientes mutantes escolhem uma estrutura:

a) mecanicista.

b) orgânica.

c) tecnológica.

d) comportamental.

e) funcional.

Quanto mais turbulento for o ambiente, ou seja, mais incerto e propenso a mutações, a organização deve se basear em uma estrutura flexível, inovadora, orgânica. Portanto, o gabarito correto é a letra B.

22. (VUNESP – 2013 – MPE-ES – Agente Técnico – Administrador) O ambiente genérico e comum a todas as organizações, na teoria contingencial, é denominado ambiente

a) geral.

b) homogêneo.

c) estável.

d) instável.

e) complexo.

Esta questão é interessante porque toca num ponto não muito cobrado em provas, mas o tema pode retornar, né? Chiavenato[11] explica que o **ambiente geral** "é o macroambiente, ou seja, o ambiente genérico e comum a todas as organizações. Tudo o que acontece no ambiente geral afeta direta ou indiretamente todas as organizações de maneira genérica. O ambiente geral é constituído de um conjunto de condições comuns para todas as organizações", portanto o gabarito é a letra A.

1.9 Drucker e a Administração por objetivos (APO)

A Administração por objetivos visa uma aplicação efetiva do processo de "planejar, organizar, executar (dirigir) e controlar", que nada mais é do que o procedimento administrativo. O autor desta concepção, Peter Drucker, é um dos conhecidos por fazer parte da teoria neoclássica, que não é uma teoria ao pé da letra, mas sim um movimento heterogêneo que, em suma, estuda os aspectos práticos da Administração.

A ideologia que carrega a Administração por objetivos é a definição de objetivos e o controle de resultados em cada área-chave da empresa. Um ponto que merece grande destaque é que este planejamento de objetivos é feito de forma **participativa** entre as chefias e os subordinados, e não simplesmente ordenado pelo alto escalão da organização. Enquanto nos planejamentos tradicionais os objetivos e metas caminham de "cima para baixo", no modelo proposto por Drucker o caminho seria uma via de mão dupla, ou seja, "de baixo para cima" e "de cima para baixo". Desta forma, os **resultados formam uma hierarquia de objetivos que se ligam de um nível ao outro**.

Esse processo de criação de objetivos com a participação dos funcionários e de avalições específicas pode ser resumido em três etapas[12], sendo:

---

11. CHIAVENATO, Idalberto. *Introdução à Teoria Geral da Administração*. 7. ed. Rio de Janeiro: Elsevier, 2004, p. 513.

12. MAXIMIANO, Antonio C. Amaru. *Teoria Geral da Administração*. Edição compacta. 2. ed. São Paulo: Atlas, 2012, p. 60-61.

Objetivos específicos: as principais áreas de desempenho da organização ou de seus departamentos são identificadas. Em seguida, são estabelecidos objetivos. Na área de vendas, por exemplo, aumentar as vendas em 10% ao ano poderia ser um objetivo a ser alcançado.

Tempo definido: um prazo deveria ser especificado para a realização dos objetivos, com prazos intermediários para verificação do desempenho da equipe.

Feedback: no decorrer do período estabelecido para a realização dos objetivos, o desempenho da equipe é avaliado. No final do prazo, um novo prazo de ação é definido para o período subsequente. Caso o desempenho da equipe não tenha sido cumprido, complementos podem ser feitos no plano de ação, como um programa de treinamento.

Entre as principais **críticas** voltadas à Administração Por Objetivos estão as seguintes ideias[13]: a primeira, de que existiria uma **tendência de se focar muito no lucro ou em outros resultados de fácil mensuração no curto prazo** e abrir mão de analisar o todo; a segunda, de que um alto executivo facilmente focaria muito na sua unidade, visando os resultados, e pouco colaboraria para o desempenho comum da empresa.

Hora de praticar!

23. (CESPE – 2015 – TRE-GO – Analista Judiciário – Área Administrativa – Conhecimentos Específicos) Um gestor que se utiliza da administração por objetivos deve fixar as metas organizacionais em conjunto com seus subordinados, buscando interligar os objetivos departamentais, mesmo que vários desses objetivos estejam apoiados em princípios básicos diferentes entre si.

Uma questão postulada dessa forma certamente faria muito candidato errar, não é mesmo? A primeira parte é fácil e está correta, uma vez que versa sobre o conceito de **participação dos subordinados** na definição das metas e dos objetivos organizacionais. A segunda parte, mais complicadinha, comenta sobre a **interligação dos objetivos departamentais**, mesmo que estejam baseados em princípios diferentes. Essa parte também está correta, uma vez que os **objetivos formam uma hierarquia**. Sendo assim, o gabarito é correto.

24. (VUNESP – 2013 – MPE-ES – Agente Técnico – Administrador) Na aplicação do Ciclo da APO, programas bem-sucedidos podem incluir

a) aplicação do programa em áreas isoladas.

b) interação e retroação regular entre subordinados e superiores.

---

13. LODI, João Bosco. *Estratégia de Negócios e Diretrizes Administrativas*, Revista de Administração de Empresas, vol. 9, nº 1, 1969, p. 32.

c) baixa participação da alta administração.

d) adoção do ciclo em um programa acelerado.

e) simplificação ao extremo de todos os procedimentos.

A alternativa A está errada, pois o ciclo da APO não funciona em áreas isoladas, mas em todas as áreas de desempenho. A alternativa C não está certa, pois o planejamento dos objetivos e metas funciona como uma via de mão dupla, sendo os objetivos fundados "*de cima para baixo*" (institucionais) e "*de baixo para cima*" (departamentais). As alternativas D e E não competem ao ciclo da APO. De fato, a alternativa correta é a letra B, que comenta sobre a interação e a retroação que, de forma muito resumida, significam a **participação** regular dos subordinados e superiores. Quando se diz interação, podemos pensar em participação sobre tudo, ideias na formulação dos novos objetivos, metas, programas, procedimentos, etc. Quando se diz retroação, podemos entender como um *feedback* dado para a organização tanto pelos subordinados quanto pelos superiores.

Alguns outros autores também fizeram parte do movimento entendido como neoclássico. Esses estudavam os objetivos e resultados organizacionais, os princípios clássicos da administração e, principalmente, o procedimento administrativo. Adiante, estudaremos cada uma das funções do administrador, que juntas formam o procedimento administrativo.

Questões propostas

25. (FUNDEP – 2014 – IF-SP – Administrador) A teoria geral da administração passou por crescente ampliação de seu enfoque desde a abordagem clássica, passando, ainda, pela abordagem humanística, depois neoclássica, estruturalista e behaviorista, até a abordagem sistêmica.

Os princípios intelectuais dominantes em quase todas as ciências no século passado foi o reducionismo, o pensamento analítico e o mecanicismo. Com o advento da teoria geral dos sistemas, os princípios do reducionismo, do pensamento analítico e do mecanicismo passam a ser substituídos por outros princípios.

Sobre esses novos princípios, assinale a alternativa CORRETA.

a) Expansionismo, pensamento separatista e etnocentrismo.

b) Contração, pensamento sintético e determinismo.

c) Retração, pensamento seletivo e teologia.

d) Expansionismo, pensamento sintético e teleologia.

26. (FCC – 2012 – TRF – 5ª Região – Técnico Judiciário – Área Administrativa) A teoria que se incumbiu de absorver, rapidamente, a preocupação com a tecnologia, ao lado da preocupação com o ambiente, para definir uma abordagem mais ampla a respeito do desenho organizacional é a Teoria

a) do Comportamento.

b) Estruturalista.

c) das Relações Humanas.

d) da Contingência.

e) Neoestruturalista.

27. (FCC – 2012 – MPE-AP – Analista Ministerial – Administração) Dotar uma empresa ou órgão público de tudo o que é necessário para seu funcionamento, como matérias-primas, utensílios, capital e pessoas, é a função de Administração definida por Fayol como:

a) prever.

b) comandar.

c) organizar.

d) coordenar.

e) controlar.

28. (VUNESP – 2009 – CETESB – Analista Administrativo – Econômico-Financeiro) O conceito de que a administração se divide nas funções: previsão, organização, comando, coordenação e controle refere-se à que teoria e a que autor, respectivamente?

a) Teoria da Administração Científica, de Taylor.

b) Produção em massa, de Ford.

c) Teoria da Administração Clássica, de Fayol.

d) Just-in-time, de Toyota

e) Mais-valia, de Marx.

29. (VUNESP – 2009 – CETESB – Analista Administrativo) Considerado, ao lado de Taylor, um dos grandes nomes dos primórdios da Administração, Henry Fayol foi fundador da Teoria Clássica cuja ênfase estava no(a)

a) tarefa realizada pelo operário.

b) homem e suas necessidades.

c) estrutura da organização.
d) ambiente externo.
e) concorrência.

30. (VUNESP – 2009 – CETESB – Analista Administrativo) A Teoria das Relações Humanas nasceu da necessidade de corrigir a forte tendência à desumanização do trabalho surgida com a aplicação de métodos rigorosos, científicos e precisos, aos quais os trabalhadores deveriam submeter-se. Sobre as suas conclusões pode-se afirmar, corretamente, que

a) foram imediatamente aceitas pelos industriais interessados em ampliar a eficiência e a produtividade nas fábricas.

b) contribuíram para o desenvolvimento da psicologia ao apontar a existência dos grupos informais, até então não estudados.

c) foram bem recebidas pelo movimento sindical devido a sua abordagem humanista e favorável ao trabalhador.

d) nasceram da reelaboração teórica dos conceitos administrativos oriundos da Escola Clássica.

e) foram criticadas pelo fato de representar a evitação e a negação, no sentido psicanalítico, em nível institucional do conflito de classes.

31. (CESPE – 2008 – TCU – Analista de Controle Interno – Tecnologia da Informação – Prova 1) A liderança centrada nas pessoas foi uma preocupação teórica de Taylor, que defendia a ideia de que resultados só podiam ser obtidos por intermédio das pessoas.

32. (FCC – 2008 – TCE-SP – Auditor do Tribunal de Contas) Max Weber é considerado como um dos mais influentes precursores de diversas teorias das organizações. Nesse sentido, considere:

I. Weber desenvolveu uma teoria das organizações formais, fundamentada em um modelo mecanicista, mais próxima das teorias clássicas.

II. A teoria das organizações de Weber é baseada na articulação entre organização formal e informal.

III. A teoria weberiana das organizações se aproxima mais da teoria clássica das organizações, pois enfatiza a eficiência e a hierarquia.

IV. A teoria estruturalista das organizações diferencia-se da abordagem weberiana por enfatizar a relação entre análise intra-organizacional e inter-organizacional.

V. A teoria weberiana das organizações aproxima-se mais das abordagens humanistas, pois enfatiza o comportamento efetivo das pessoas na organização.

Está correto o que se afirma APENAS em

a) I, II e III.

b) I, II e IV.

c) I, III e IV.

d) II, III e V.

e) II, IV e V.

33. (CESPE – 2008 – TCU – Analista de Controle Interno – Tecnologia da Informação – Prova 1) De acordo com os pressupostos da abordagem sistêmica, em uma organização que vise fazer frente às pressões geradas pelo aumento da competição no mundo globalizado, deve haver constante interação e interdependência entre suas partes integrantes. Adicionalmente, essas partes devem ser orientadas para um propósito comum, de modo a estarem com plena capacidade de influenciar e serem influenciadas pelo ambiente externo.

34. (FCC – 2008 – METRÔ-SP – Analista Trainee – Administração de Empresas) Considere a capacidade das organizações, enquanto sistemas abertos, de

I. conservar um estado equilibrado por meio de mecanismos autorreguladores;

II. importar mais energia do ambiente externo do que expender;

III. alcançar, por vários caminhos, o mesmo estado final, partindo de iguais ou diferentes condições iniciais.

Os itens I, II e III referem-se, respectivamente, a

a) homeostase; importação de energia; diferenciação.

b) homeostase; entropia negativa; equifinalidade.

c) entropia negativa; importação de energia; homeostase.

d) estado firme; homeostase dinâmica; diferenciação.

e) equifinalidade; homeostase; estado firme.

35. (CESPE – 2013 – CNJ – Programador de computador) A administração pública burocrática é orientada para a racionalidade absoluta e prevê o controle rígido dos processos e procedimentos como o meio mais seguro para evitar o nepotismo e a corrupção.

36. (FCC – 2015 – SEFAZ-PI – Analista do Tesouro Estadual – Conhecimentos Gerais) A criação do Departamento Administrativo do Serviço Público – DASP foi um marco importante na Administração pública federal, com a introdução de características de administração

a) gerencial, com foco na gestão de resultados.

b) burocrática, com ênfase na centralização e reorganização da Administração, gestão de pessoal e racionalização de procedimentos.

c) empreendedora, com ênfase na atuação de fomento.

d) patrimonialista, com ampla criação de órgãos e entidades governamentais.

e) pré-Gerencial, com a introdução de conceitos de avaliação de desempenho.

37. (CESPE – 2014 – Polícia Federal – Agente de Polícia Federal) O Departamento Administrativo do Serviço Público (DASP) iniciou um movimento de profissionalização do funcionalismo público, mediante a implantação de um sistema de ingresso competitivo e de critérios de promoção por merecimento.

38. (CESPE – 2013 – ANTT – Analista Administrativo) De acordo com Frederick W. Taylor, criador do movimento da administração científica, administrar deveria ser uma função distinta das demais funções da fábrica, uma vez que é uma atividade que facilita a execução das tarefas pelos funcionários.

39. (CESPE – 2012 – TJ-AL – Analista Judiciário – Área Administrativa) De acordo com a abordagem neoclássica da administração, as principais funções do processo administrativo são

a) fiscalização, comunicação, correção e ação.

b) planejamentos estratégico, tático e operacional.

c) comunicação, direção, controle e avaliação.

d) planejamento, organização, direção e controle.

e) organização, direção, avaliação e controle.

40. (FJPF – 2006 – CONAB – Técnico Administrativo) Dentre as diversas teorias da administração, aquelas que possuem seu enfoque na teoria das decisões e na abordagem de sistema aberto são, respectivamente, as Teorias:

a) Neoclássica e Científica.

b) da Contingência e das Relações Humanas.

c) Científica e Estruturalista.
d) do Comportamento Organizacional e da Contingência.
e) da Burocracia e do Desenvolvimento Organizacional.

Capítulo 1 – Gabarito

Questão	Resposta
01	C
02	C
03	D
04	B
05	E
06	E
07	C
08	E
09	E
10	C
11	A
12	E
13	C
14	B
15	D
16	E
17	C
18	E
19	E
20	E

Questão	Resposta
21	B
22	A
23	C
24	B
25	D
26	D
27	C
28	C
29	C
30	E
31	E
32	C
33	C
34	B
35	C
36	B
37	C
38	E
39	D
40	D

Planejamento e estratégia

2

A partir deste capítulo, entramos numa nova seara da Administração. Discutiremos algumas funções da administração e algumas ferramentas relacionadas a essas funções. Antes de falar tecnicamente sobre o planejamento, convido você a pensar, de uma maneira mais informal, sobre quantas vezes na sua vida você se planejou. Quanto em dinheiro teve de guardar para fazer acontecer aquela festa de 15 anos de sua filha. Quantos orçamentos cotou, quantos meses precedentes à festa você juntou dinheiro, quantos convidados liberou para a sua filha convidar. Pois bem, o planejamento funciona basicamente em cima dessas indagações.

Falando um pouco sobre a estratégia, vejo ela intimamente ligada com o planejamento porque muito dela diz respeito a qual caminho o administrador deve seguir. No exemplo acima, depois de cotar os diversos orçamentos, estudar os locais em que a festa poderia se realizar, qual estratégia, ou seja, qual caminho, você – na qualidade de pai – seguiria visando alçar o melhor resultado possível para ocorrer a festa de sua filha, ou seja, para ser uma festa de arromba!?

2.1 Planejamento

Antes de mais nada, é importante o *concurseiro* ter em mente que, conforme a teoria neoclássica, as principais funções do administrador são: **planejar, organizar, dirigir (executar) e controlar.** Reiteradas questões perguntam quais são essas funções. Prosseguindo, antes de falarmos de níveis de planejamento, das escolas do planejamento e dos tipos de planejamento, vamos entender como os principais teóricos o definem.

Para **Sobral e Peci**[14]: "Planejamento é a função da administração responsável pelas definições dos objetivos da organização e pela concepção de planos que integram e coordenam as suas atividades. O planejamento tem a dupla atribuição de definir o que deve ser feito – objetivos – e como deve ser feito – planos."

---

14. SOBRAL, Felipe; PECI, Alketa. *Administração:* Teoria e prática no contexto brasileiro. São Paulo: Pearson Prentice Hall, 2008, p. 132.

Para **Chiavenato**[15]: "O planejamento é a função administrativa que determina antecipadamente quais são os objetivos a serem atingidos e como se deve fazer para alcançá-los".

Desta forma, fica fácil entender que o planejamento, em suma, está ligado a três palavrinhas: **diretrizes, objetivos e metas**. Usamos o mnemônico **DOM** para memorizar. Em que pese, diretrizes estão ligadas aos planos, ao como alcançar, objetivos e metas estão ligados ao desejo da empresa, em qual lugar ela quer chegar, o que ela quer alcançar.

Outro ponto relevante, levantado por diversos autores, é que o planejamento almeja resultados mais eficazes e eficientes no futuro traçado pela organização. **Eficácia** refere-se à extensão do atingimento dos objetivos, ou seja, dos resultados, **eficiência** refere-se à economicidade. Um bom exemplo seria: uma empresa que tem de produzir 500 sapatos, conseguiu produzir? Foi eficaz. Ela poderia produzir gastando R$ 10,00 por unidade, mas, apesar de ter conseguido produzir os 500 sapatos, cada unidade lhe custou R$ 13,00, então não foi eficiente e, tão somente, eficaz. Também poderia ocorrer o inverso, não conseguir produzir todos os sapatos, entretanto os que conseguisse produzir ter dispendido o mínimo custo por unidade, neste caso, a empresa seria eficiente, no entanto, não eficaz.

Seguem questões:

1. (UFF – 2009 – UFF – Assistente Administrativo) Administrar é tomar decisões. Entre as principais decisões está o planejamento, o qual consiste em:

    a) alocar os recursos necessários.

    b) executar os planos.

    c) coordenar equipes.

    d) determinar objetivos e recursos.

    e) verificar os resultados.

    A primeira alternativa trata da função organização, a segunda alternativa e a terceira tratam da função de direção, em que os planos são executados e os esforços coordenados. A alternativa D é o nosso gabarito, o planejamento define o objetivo e as diretrizes para alcançá-lo. A última alternativa faz parte da função controle.

2. (UFF – 2009 – UFF – Assistente Administrativo) O uso de uma metodologia que permita atingir mais rapidamente um determinado objetivo é uma questão de:

---

15. CHIAVENATO, Idalberto. *Introdução à Teoria Geral da Administração*. 7. ed. Rio de Janeiro: Elsevier, 2004, p. 167.

a) eficácia.

b) eficiência.

c) efetividade.

d) produtividade.

e) qualidade.

Esta é uma questão que basta conhecer o conceito frio de eficácia que se chega rapidamente no gabarito de letra A. Eficácia diz respeito ao atingimento de objetivos, de resultados. Aproveitando a deixa, acho oportuno comentar sobre o conceito de **efetividade**. Este conceito, como regra geral, diz respeito ao **impacto** causado na sociedade, é um conceito mais amplo, tem a ver com o grau de utilidade que o produto ou serviço gerou. Como exemplo, imaginem que o governo federal lançou um programa chamado bolsa alegria; implementando todo o projeto, a sociedade beneficiada ficou muito alegre, em euforia! Os moradores passaram até a ser mais gentis uns com os outros. Ora, nesse exemplo, apesar de absurdo, o programa impetrado pelo governo federal atingiu seu objetivo e, mais do que isso, gerou um grande impacto na sociedade.

Recapitulando ao mnemônico **DOM**, existe uma clara diferença entre **metas** e **objetivos** que, algumas vezes, já foi cobrada em prova. Em síntese, o objetivo é em qual lugar você quer chegar. Metas são como pequenos objetivos, mensuráveis, que normalmente te levarão ao teu objetivo principal. Por exemplo, o objetivo: abrir uma filial no próximo ano. As metas: até fevereiro aumentar 10% do faturamento, até julho aumentar 30% e, até dezembro, 50%. Agora vamos praticar esta diferença com uma questão mais técnica:

3. (CETRO – 2006 – INMET – Administrador) Quanto à função administrativa "Planejar", pode-se dizer que:

a) é apenas definir os objetivos da organização.

b) é apenas definir as metas da organização.

c) é definir os objetivos, temporizando e quantificando esses objetivos, transformando-os em metas, e definir também as ações que deverão ser executadas para transformar os objetivos em realidades.

d) é definir o que cada uma das pessoas vai fazer.

e) é conferir se os processos estão levando aos objetivos.

No planejamento são definidos tanto os objetivos quanto as metas. Sobre as alternativas D e E, elas dizem respeito a outras funções. Definir o que cada pessoa fará é função de organização, conferir se os processos levam ao objetivo é função de controle. Nosso gabarito é a letra C, assertiva essa, que nos permite ter uma melhor visualização de objetivo e meta.

2.2 Hierarquia do planejamento

A forma e o conteúdo de um planejamento não são os mesmos em todos os níveis da organização. Existem três níveis de planejamento, divididos de forma hierárquica. Na parte de cima da empresa, em que fica a alta cúpula, é feito o **planejamento estratégico**, na parte central, área de gerências, acontece o **planejamento tático**, e, por fim, o planejamento relacionado às atividades e tarefas é o **planejamento operacional**.

O planejamento estratégico é também conhecido como institucional. Isto acontece porque quem o faz são os responsáveis pelo sucesso da empresa. Estamos falando de diretores, presidentes, proprietários... Então, imagine! O que será que eles planejam? Aqui acontece, por exemplo, planejamento sobre expansão de empresa, sobre como atingir objetivos, como crescer ou se defender... O planejamento estratégico tem como **característica ser o mais abrangente**, pois todos os funcionários da empresa devem estar alinhados, ser **de longo prazo**, pois são **objetivos globais e pautados no futuro**, e ter um **conteúdo mais genérico** do que específico. Pensa comigo. Quando é feito o seguinte planejamento estratégico: dobrar o faturamento em três anos. Concorda que cada setor da empresa deve trabalhar de maneira mais específica para conseguir alcançar esse planejamento genérico? O marketing deve trabalhar as suas propagandas de uma forma, a produção deve melhorar a qualidade ou diminuir os custos, as vendas devem estar alinhadas... Pois então. Enquanto o planejamento estratégico tem como característica trabalhar um conteúdo genérico, o planejamento tático, também conhecido como gerencial, trabalha de maneira mais específica. Entre as características do planejamento tático, quanto ao conteúdo **ele é mais detalhado e analítico,** quanto ao tempo ele é considerado de médio prazo, e quanto a sua **abrangência ele é considerado setorial (departamental),** pois ele trabalha cada departamento como se fosse uma unidade diferente. Conforme explicado anteriormente, o que o setor de marketing planeja é diferente do que o setor de RH planeja, por mais que todos devam estar alinhados ao planejamento estratégico, que é mais amplo e funciona como norte – **normalmente na elaboração do planejamento tático se planeja programas e planos**, de forma alinhada com o global, visando alcançar o objetivo geral da organização. O nível mais baixo do **planejamento é o operacional**. Esse planejamento está relacionado com cada **atividade ou tarefa** que acontece dentro da organização. Quer um exemplo? Imagine que você trabalha como professor em uma escola. A forma como você passa a lição na lousa é uma atividade, e o seu planejamento quanto a essa situação é uma forma de se planejar operacionalmente. Ora, você pode passar a lição usando apenas giz da cor branca ou usando várias cores. Você pode usar esquemas e mapas mentais no quadro ou apenas textos, etc. Cabe a você planejar essa operação. Um dado importante e que vem sendo cobrado em provas diz respeito a **ferramentas de** gestão, que podem auxiliar na elaboração do planejamento operacional, como: **listas de verificação, cronogramas e gráficos de Gantt.**

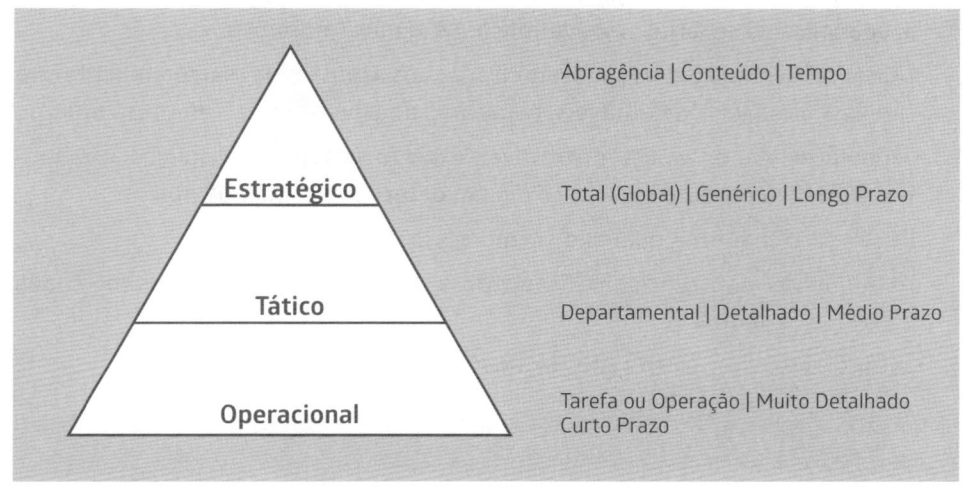

```
                    Abragência | Conteúdo | Tempo

      Estratégico   Total (Global) | Genérico | Longo Prazo

        Tático      Departamental | Detalhado | Médio Prazo

      Operacional   Tarefa ou Operação | Muito Detalhado
                    Curto Prazo
```

FIGURA 2.1 – Hierarquia do Planejamento.

Mais adiante retomaremos o planejamento estratégico e falaremos da administração estratégica abordando assuntos como definição de missão, visão e valores, diagnóstico de uma empresa, tipos de estratégia e outros assuntos correlatos.

2.3 Planejamento por cenários

Os cenários são crenças, medidas e, principalmente, possíveis situações futuras. O planejamento baseado em cenários existe como forma de tentar preparar a empresa para o futuro. Serve para criar entendimento sobre aspectos exógenos, que a empresa tenha ou não controle, e que seja favorável ou desfavorável ao negócio. Com esse entendimento, a empresa pode estudar novas possibilidades, como o lançamento de um produto ou serviço novo, ou a manutenção de um que já exista.

Vamos pensar de forma mais prática. Faça de conta que você é o diretor de uma escola particular e que você deseja tentar adivinhar qual será o cenário da sua escola em 2030. Para isso, você terá que analisar dados, estudar tendências e traçar gráficos. Provavelmente, algumas informações, como taxa de natalidade e mortalidade, IDH, crescimento econômico e outras, terão importância maior para você. A ideia do estudo dos cenários é tentar enxergar diferentes "futuros" baseado em estudos e passado, facilitando assim a vida dos gestores.

Atenção: Planejamento por cenários não é considerado uma previsão, pois todo e qualquer futuro é incerto. Não há o que se falar em grau de certeza.

Observem essa questão bem estruturada:

4. (FCC – 2014 – TCE-GO – Analista de Controle Externo – administrativa) Ao realizar análise de cenários, são identificados alguns fatores úteis como:

I. Criar consciência empresarial em relação aos aspectos do macroambiente que são desfavoráveis ou imutáveis, bem como aqueles em que a empresa atuará.

II. Compreender os aspectos favoráveis e não favoráveis à introdução ou manutenção de um produto ou serviço em um determinado macroambiente.

III. Proporcionar mais qualidade como apoio visual.

IV. Aumentar os negócios por meio do desenvolvimento de novos mercados para seus produtos.

Está correto o que consta APENAS em

a) I e II.

b) III e IV.

c) I e III.

d) II e IV.

e) II e III.

As assertivas de numeração III e IV estão erradas porque extrapolam a lógica do planejamento por cenários. Seria impossível garantir que uma análise de cenários possa gerar mais qualidade como apoio visual ou que aumentaria determinado negócio por meio do desenvolvimento de novos mercados. Lembra-se que o futuro é incerto? Pois bem, de outro modo, as assertivas I e II falam de conscientização e de compreensão de aspectos, situação essa que tudo tem a ver com o planejamento baseado em cenários. Sem deixar dúvidas, o gabarito é a letra A.

Djalma de Oliveira cita duas abordagens de cenário: projetiva e prospectiva. Tema recorrente em prova. A projetiva, com base em informações do passado, o gestor cria um cenário único para o futuro. Por mais que tenha até dois caminhos, eles levarão para o mesmo futuro, ou seja, o cenário será o mesmo; seria como uma "extensão" do passado. Já na abordagem prospectiva, o gestor cria diversas possibilidades de futuro, com base nas situações de hoje, do presente. Portanto, ele considera aspectos como inflação, PIB, tecnologia, costumes, barreira para o crescimento, etc., e assim cria os cenários.

Planejamento baseado em Cenários

```
                              ──▶  [ Futuro ]
                              ──▶
                    [ Presente ]
      ──▶
[ Passado ]
                              Abordagem Projetiva


                                   [ Futuro ]
                                   [ Futuro ]
                              ──▶  [ Futuro ]
                    [ Presente ]
      ──▶
[ Passado ]
                              Abordagem Prospectiva
```

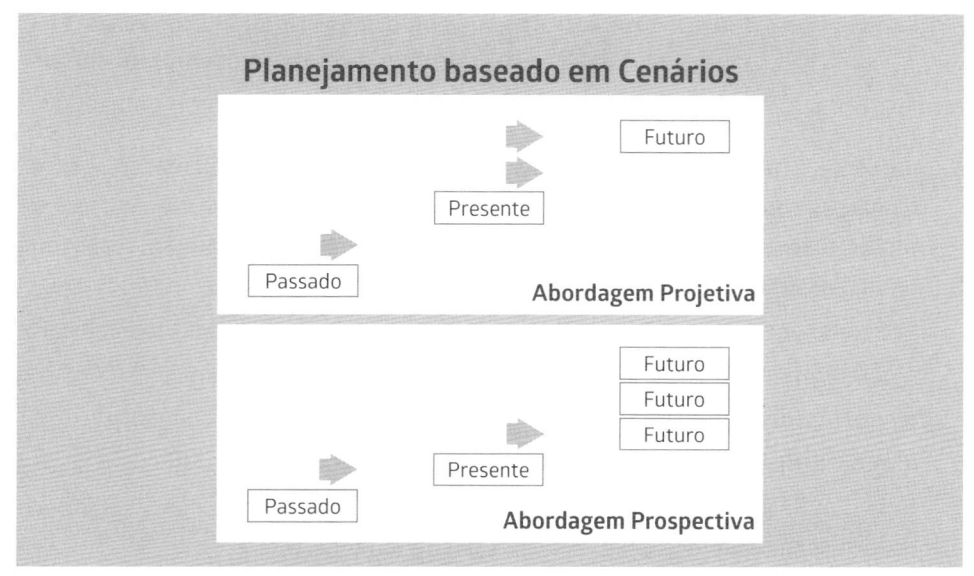

FIGURA 2.2 – Planejamento por cenários.

Na parte superior da figura, podemos notar que o passado evolui para o presente, que evolui para um único futuro, por mais que existam dois caminhos. Na parte inferior, correspondente à abordagem prospectiva, podemos notar que do presente para o futuro existem diferentes caminhos, e que cada um deles leva para um cenário (futuro) diferente.

Um assunto que tem sido cobrado recentemente no tema cenários é o **Método Delfos**. É uma forma prospectiva de se criar cenários. Primeiro é determinado o objeto de estudo, posteriormente é feito um texto sobre os problemas e as manifestações do assunto do objeto e especialistas são convidados a responder questionários; conforme os questionários são respondidos é feita uma recuperação e análise das respostas, e um novo questionário com a adição de informações anteriores é elaborado e enviado para os especialistas. Esse procedimento acontece diversas vezes até um possível consenso. É importante frisar que existe um anonimato, assim um especialista não sabe a opinião do outro e, logo, não é influenciado. Dessa técnica, pode-se trabalhar junto a construção dos **cenários "provável", "otimista" e "pessimista"**, como forma de criação de cenários, em consonância com as respostas dos especialistas. Imagine! Você convoca estudantes para responder sobre a escassez da água. Depois de várias rodadas de questionários, uma galera acredita que a água vai acabar, outra que isso nunca vai acontecer e uma turma acredita que vai diminuir, mas não irá acabar. Você poderia facilmente nomear um cenário como o mais provável, seja pelo critério quantitativo ou qualitativo (quantidade ou fundamentação dos participantes), um cenário mais otimista (a água não vai acabar) e um mais pessimista (a água vai acabar).

> Atenção: Método Delfos é apenas uma técnica de construção de cenários, com base na prospecção. Seu foco é a previsão tecnológica e a identificação de tendências.

5. **(CESPE – 2013 – FUB – Administrador)** No processo de planejamento, a construção de cenários, também conhecida como método Delfos, é uma técnica de prospecção do futuro que assume a forma de pesquisa de opinião, focalizada em um assunto específico.

    Essa questão está errada porque a construção de cenários não é a mesma coisa que o método Delfos. O método é apenas uma das técnicas de se construir um cenário.

6. **(CESPE – 2013 – FUB – Administrador)** Uma das técnicas de prospecção do futuro utilizadas no planejamento organizacional é o método delfos, cujo foco é a previsão tecnológica e a identificação de tendências.

    Essa questão está perfeita. De fato, o método é uma técnica de prospecção do futuro, já que é possível criar vários cenários. O foco na previsão tecnológica foi a base do método Delfos, já que inicialmente foi criado como forma de se mensurar o impacto das tecnologias na sociedade norte-americana. Gabarito certo.

2.4 Administração estratégica

Finalmente, voltemos ao planejamento estratégico. Sugiro ao leitor que reserve algumas horas apenas para a leitura desse tema, pois é vasto e muito cobrado em provas, apesar de ser interativo e empolgante. Como já comentamos, o planejamento estratégico é aquele que é desenvolvido pela alta cúpula da organização, diretoria e presidência como regra. No planejamento estratégico ocorrem algumas definições básicas da organização, como a sua missão, a sua visão, os seus valores e o seu próprio negócio. Nesse momento acontece o processo de administração estratégica. **Sobral e Peci (2008)** explicam que existem 6 etapas: diagnóstico da situação atual, análise ambiental (externa) e análise interna, formulação estratégica, implementação estratégica e controle estratégico. Agora iremos comentar cada ponto importante do planejamento estratégico de forma isolada e focada nas prováveis questões de concurso.

2.5 Diagnóstico da situação atual – missão e visão

Para **Sobral e Peci (2008)**, é nesta fase da administração estratégica que são identificadas a missão e a visão da organização, além de seus objetivos e estratégias[16]. A **missão** de uma organização **justifica a razão de ela existir**, demonstra por qual motivo ela foi criada, o que a empresa pretende fazer; normalmente responde à pergunta "Por que existimos?", somamos ou resolvemos o quê? Por exemplo, a missão de um mercado poderia ser **vender mais barato, para as pessoas ficarem mais felizes**. Nesse exemplo, a missão explica a razão da empresa existir e a forma que ela contribui para sociedade.

A **visão** é dita como **onde a empresa quer chegar**, como ela quer ser vista quando seus objetivos forem alcançados. Vamos imaginar uma empresa de vendas de eletrônicos. Uma visão para essa empresa poderia ser "Conquistar mais um milhão de clientes no mundo e manter-se eticamente correta nos próximos anos". Nessa visão fictícia, fica claro onde ela quer chegar e como ela quer ser vista.

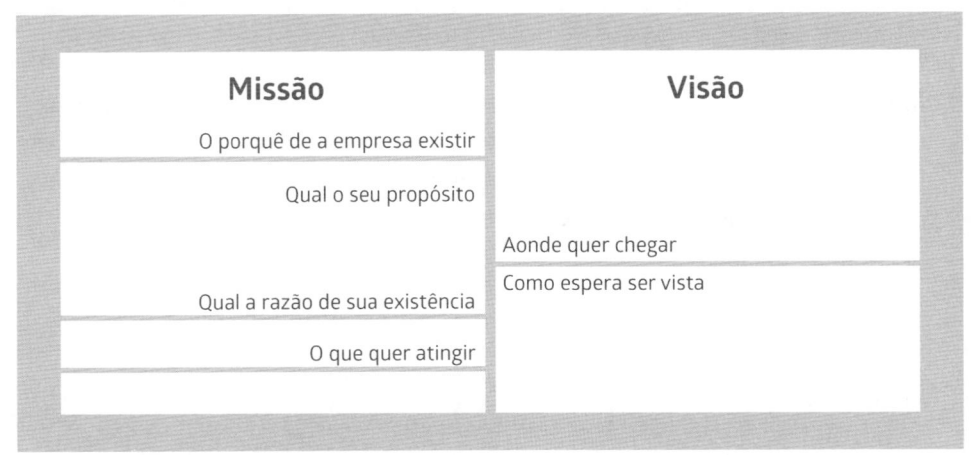

Missão	Visão
O porquê de a empresa existir	
Qual o seu propósito	
	Aonde quer chegar
	Como espera ser vista
Qual a razão de sua existência	
O que quer atingir	

FIGURA 2.3 – Missão e Visão.

7. (CESPE – 2015 – STJ –Técnico Judiciário – Administrativa) Antes das estratégias para o alcance dos objetivos, a empresa deve definir sua missão organizacional, ou seja, seu objetivo principal a ser perseguido: o ponto ao qual ela deverá chegar no futuro próximo ou distante.

    Como podemos ver na figura acima, que sintetiza missão e visão, o ponto ao qual a empresa quer chegar no futuro se trata da visão, e não da missão. Por este motivo, a questão está errada.

---

16. SOBRAL, Felipe; PECI, Alketa. *Administração:* Teoria e prática no contexto brasileiro. São Paulo: Pearson Prentice Hall, 2008, p. 143.

8. **(CESPE – 2013 – STF – Analista Judiciário)** O setor de atuação, os objetivos, os propósitos e a razão de existência de uma organização devem estar esclarecidos em sua missão.

Essa questão foi selecionada para poder explicar outra situação. A missão e o objetivo são institutos completamente diferentes, pois a missão está relacionada com a razão da existência da empresa, enquanto os objetivos são desejos a serem alcançados temporalmente. Isso quer dizer que a missão não tem limitação de tempo, já os objetivos são alcançados e mudados de tempo em tempo. Com todo esse exposto, o gabarito da questão é errado, já que os objetivos não devem compor a missão.

Algumas bancas vêm cobrando questões sobre a definição de **negócio** e, para que não restem dúvidas, vamos também abarcar esse instituto. Enquanto a missão está relacionada ao "para que existimos" e a visão "o que queremos", o **negócio está intimamente relacionado ao "o que fazemos"**. Define o ramo de atuação da organização e delimita o que ela desenvolve, seja oferecendo produtos ou prestação de serviços.

9. **(ESAF – 2012 – CGU – Analista de Finanças e Controle)** Em seu sítio eletrônico, o Tribunal de Contas da União informa que sua principal atividade é o "controle externo da administração pública e da gestão dos recursos públicos federais". Ao assim proceder, de fato o TCU revela a sua (o seu):

a) meta.

b) negócio.

c) visão de futuro.

d) objetivo.

e) missão.

Em uma primeira leitura, a maioria dos candidatos responderia a alternativa E, acreditando ser uma missão. Porém, como no próprio enunciado já se diz tratar de sua principal atividade, o gabarito não poderia ser outro senão a alternativa B, negócio.

Já os **valores** são princípios que definem a forma de atuação da organização. **Tamayo e Mendes** os definem como **"princípios que guiam a vida da organização"**. Exemplo: respeitar todos os seres humanos independente de qualquer religião; ter responsabilidade social; ter uma comunicação clara e precisa.

2.6 Análise organizacional – ambientes externo e interno

Antes de se formular estratégias, devem ser analisados tanto o ambiente externo (relacionado ao mercado) quanto o ambiente interno (relacionado à empresa) com o intuito de identificar fatores que possam influenciar no desempenho da organização. Com essa análise, a organização consegue avaliar as tendências externas, como atualização das legislações, atividades dos concorrentes, desejos dos clientes e avaliar as necessidades internas, como a quantidade e qualidade de recursos que a organização possui.

Essa análise organizacional é comumente chamada de **diagnóstico estratégico**. Uma das ferramentas mais conhecidas e cobradas em prova utilizada para elaborar esse diagnóstico é a **Análise SWOT**, também chamada de **FOFA**. SWOT vem do inglês *Strengths, Weaknesses, Opportunities e Threats,* significando respectivamente, **Forças, Fraquezas, Oportunidades e Ameaças**.

Como o próprio nome diz, a análise SWOT tem a intenção de diagnosticar os pontos fortes e fracos da organização, esses ligados ao plano interno, e as ameaças e oportunidades, as quais estão ligadas ao plano externo. Força e fraqueza, por se tratar de variáveis do plano interno, são variáveis controláveis, ao passo que ameaças e oportunidades, por se tratar do plano externo, são variáveis incontroláveis. Grave isso, é muito importante! Vamos elucidar tudo isso de forma mais prática.

Quando a empresa está com o seu maquinário velho e/ou quebrado, estamos falando de um ponto fraco. É uma fraqueza porque está na própria organização (plano interno) e é uma variável controlável, haja vista que as máquinas podem ser consertadas ou trocadas. Já na ameaça, poderíamos usar como exemplo o nascimento de uma empresa concorrente. Ora, ela está no plano externo e eu não posso controlar o seu nascimento, nem a sua qualidade, nem o seu tamanho, sendo assim uma variável incontrolável.

Agora vamos comentar um pouco sobre cada ponto da análise SWOT e mencionar outros exemplos. Os **Pontos Fortes** estão relacionados a forças que diferenciam a empresa de seus concorrentes ou a deixe em vantagem competitiva. Pode ser uma fábrica altamente tecnológica, funcionários bem treinados, clientes fiéis, ter uma marca de renome, possuir uma cadeia de suprimentos ótima... Já os **Pontos Fracos** são exatamente o oposto, são aspectos que deixam a empresa em alguma desvantagem; por exemplo, funcionários desmotivados, diretoria incompetente, logística ineficiente. Perceba que esses fatores podem ser melhorados, ou seja, podem ser controlados. Uma equipe de funcionários pode ser treinada, uma logística pode ser repensada, uma diretoria pode ser trocada, equipamentos podem ser trocados, e assim por diante. Agora vamos estudar os aspectos incontroláveis, que dizem respeito ao ambiente externo. As **oportunidades** são situações do ambiente externo que possam ajudar a organização, como por exemplo o nascimento de uma lei que favoreça a venda dos produtos que sua empresa venda, ao passo que as **ameaças** são situações do plano externo que possam prejudicar a sua empresa, como por exemplo o surgimento de concorrentes, a escassez de fornecedores ou o nascimento de uma lei que possa prejudicar a sua empresa; à primeira vista, não se tem muito a fazer, pois são variáveis incontroláveis.

	Positivo	Negativo
Fatores Internos	Forças	Fraquezas
Fatores Externos	Oportunidades	Ameaças

FIGURA 2.4 – Análise SWOT.

Djalma de Oliveira pontua possibilidades estratégicas que decorrem da análise SWOT, então já aproveitando a inter-relação direta, vamos conhecer cada estratégia.

Tipos de Estratégias

Diagnóstico		Plano Interno	
		Predominância de Pontos Fracos	Predominância de Pontos Fortes
Plano Externo	Predominância de Ameaças	**Estratégia de SOBREVIVÊNCIA** - Redução de custos - Desinvestimento - Liquidação de Negócio	**Estratégia de MANUTENÇÃO** - Estabilidade - Nicho - Especialização
	Predominância de Oporunidades	**Estratégia de CRESCIMENTO** - Inovação - Internacionalização - Joint Venture - Expansão	**Estratégia de DESENVOLVIMENTO** - de mercado - de produtos ou serviços - financeiro ou - Diversificação

FIGURA 2.5 – Tipos de estratégias.

Conforme a correlação entre a variável interna mais predominante e a variável externa mais predominante, nasce uma estratégia e determinadas posturas que devem ser adotadas.

Estratégia de sobrevivência: essa estratégia acontece quando a organização está passando por problemas tanto no cenário interno (fraquezas) quanto no cenário externo (ameaças). Entre as possíveis posturas a serem tomadas, estão: **a) redução de custos,** que significa cortar todos os gastos possíveis para assim tentar passar dessa fase ruim, **b) desinvestimento**, que significa não dar continuidade a determinado produto ou serviço e assim focar no que realmente importa, e **c) liquidação do negócio**, que deve ocorrer em último caso, quando não existe outra saída.

Estratégia de manutenção: deve ocorrer quando a empresa está sofrendo com diversas ameaças, porém ela dispõe de várias forças (pontos fortes), que assim a possibilita a tomar uma postura defensiva. Entre as possíveis posturas a serem tomadas, estão: **a) estabilidade**, que significa a tentativa de retornar à situação de normalidade; **b) nicho**, a organização visa ser a melhor em um micro espaço, dominando um tipo de produto ou micromercado, e **c) especialização**, situação em que a organização foca em um determinado produto, serviço ou setor; exemplo: um supermercado foca suas atenções nos produtos de limpeza.

Estratégia de crescimento: essa estratégia pode ocorrer quando a empresa enxerga diversas oportunidades, mas ainda está recheada de fraquezas. Entre as possíveis posturas a serem tomadas, estão: **a) inovação**, que está relacionada ao lançamento de novos produtos ou serviços, com tecnologia inédita ou aperfeiçoada, **b) internacionalização**, que é a expansão de seus negócios para países em que ainda não trabalha, **c)** *joint venture*, que é uma parceria entre duas organizações, normalmente com livre acesso de uma na outra, com compartilhamento de dados, tendo o objetivo de dominar um determinado mercado, e **d) expansão**, que está bastante relacionada ao aumento de produtividade e de fornecimento ao mercado.

Estratégia de desenvolvimento: deve acontecer quando tanto o cenário interno quanto externo está positivo, ou seja, quando existem muitos pontos fortes e oportunidades. Entre as possíveis posturas a serem tomadas, estão: **a) desenvolvimento**, que pode ser de mercado, de produtos ou serviços, financeiro, de capacidades e outros, e **b) diversificação**, que acontece quando existe uma falta de oportunidade para o mercado atual ou quando ele já está muito saturado, forçando assim a organização a buscar novos mercados e seguimentos.

Agora que você já está PHD em análise SWOT e suas estratégias, vamos praticar um pouco!

10. (FCC – 2016 – Copergás PE – Analista Administrador) Considere que determinada entidade integrante da Administração Indireta pretenda implementar planejamento estratégico, utilizando, como metodologia, o Balanced Scorecard – BSC. Em sua etapa inicial, de diagnóstico institucional, foi utilizada a matriz SWOT, com o objetivo de identificar, na análise dos aspectos externos da organização,

a) ameaças e oportunidades.

b) cenários otimistas e pessimistas.

c) desafios e competências requeridas.

d) fatores exógenos e endógenos.

e) variáveis críticas e neutras.

De fato ainda não estudamos sobre o **Balanced Scorecard**, o abordaremos em breve. Todavia, não é necessário o entendimento do assunto para responder a essa questão, pois, como vimos, a análise SWOT estuda os pontos internos, forças e fraquezas, e os pontos externos, ameaças e oportunidades, e é por este motivo que o nosso gabarito só pode ser a letra A.

11. (CESPE – 2016 – TCE SC – Auditor Fiscal de Controle Externo) Na elaboração do diagnóstico institucional de uma empresa pública, a análise interna caracteriza-se por ser restritiva e controlável e por identificar os pontos fortes e fracos da organização; a análise externa, apesar de ser ampla e estar relacionada com o conhecimento de aspectos externos à organização, ainda lida com um ambiente controlável.

Errado. Desta vez a banca tenta brincar com as variáveis controláveis ou incontroláveis. Como já percebemos, os aspectos externos são incontroláveis.

12. (CESPE – 2015 – STJ – Analista Judiciário) Entre as estratégias organizacionais mais praticadas, destacam-se a estratégia de sobrevivência, para quando o ambiente e a empresa estiverem em situação inadequada ou apresentarem perspectivas caóticas; a estratégia de manutenção, para o caso de a empresa identificar um ambiente com ameaças, mas dispor de uma série de pontos fortes; a estratégia de crescimento, para quando a empresa tiver predominantemente pontos fracos, mas o ambiente proporcionar situações favoráveis; e a estratégia de desenvolvimento, para quando houver predominância de pontos fortes e de oportunidades.

Essa é uma ótima questão, pois resume cada estratégia explicada e demonstra o entendimento da banca sobre elas. O gabarito é certo.

13. (CESPE – 2015 – MPOG – Técnico de Nível Superior) Os pontos fortes e os pontos fracos representam as variáveis controláveis pela organização, pois integram seu ambiente interno; já as oportunidades e ameaças, que integram o ambiente externo à organização, representam variáveis incontroláveis; assim, as ameaças não podem ser enfrentadas por nenhuma forma de atuação crítica da organização.

Apesar de o ambiente externo ser incontrolável, falar que as ameaças não podem ser enfrentadas por nenhuma forma de atuação crítica extrapola tal entendimento. As ameaças podem sim ser influenciadas e amenizadas. Como exemplo, podemos usar os pontos fortes de uma organização – que são controláveis – para amenizar as ameaças. Gabarito errado.

Anteriormente, inauguramos o tema administração estratégica, que é dividido em 6 etapas. Faltou discutirmos formulação estratégica, implementação e controle. A **formulação estratégica** é baseada no diagnóstico, tanto interno quanto externo, do ambiente. Neste momento são avaliadas as opções de estratégia e definidos os objetivos estratégicos. A **implementação estratégica** é a condução da estratégia pela organização. Deve-se buscar a sua execução de maneira eficaz e eficiente, e comunicá-la a todos os membros da organização, com o intuito de conseguir o apoio e o comprometimento de todos. Por fim, o **controle estratégico** é o monitoramento e a avaliação dos resultados dos objetivos estratégicos. Caso necessário, ações corretivas devem ser feitas. Sistemas de controle estratégico devem dispor de indicadores de desempenho, como o **Balanced Scorecard**, que discutiremos em breve.

2.7 Escolas do planejamento estratégico

Mintzberg compilou as diferentes formas de pensar e de diferentes autores em um único livro, criando assim a obra **Safári de Estratégia** (Strategy Safari), a qual dispõe **de 10 escolas do planejamento estratégico**. Para você que está pensando "Por que 10?", Mintzberg explica sobre os dez pontos distintos: "cada um tem uma perspectiva única que focaliza, como faz cada um dos cegos, um aspecto importante do processo de formulação de estratégia. Cada uma dessas perspectivas é, em certo sentido, restrita e exagerada. Em outro sentido, porém, cada uma também é interessante e criteriosa".[17]

Para esquematizar o entendimento, ele separou as escolas da administração estratégica em 3 grupos maiores, cada um contendo uma característica própria.

---

17. MINTZBERG, Henry; AHLSTRAND, Bruce; LAMPEL, Joseph. *Safári de Estratégia:* Um roteiro pela selva do planejamento estratégico. 2. ed. Porto Alegre: Bookman, 2010. p. 20.

Os grupos são: **escolas de natureza prescritivas, escolas de natureza descritivas e escola de natureza de configuração.**

As escolas de **natureza prescritiva** se preocupam mais em como as estratégias devem ser formuladas, do que como, de fato, elas se formam. Compõe esse grupo as escolas do **design**, criada nos anos 1960 e servindo como base para as outras duas, do **planejamento**, criada nos anos 1970, e do **posicionamento**, criada nos anos 1980. Agora vamos falar de cada uma delas.

Escola do design: uma das premissas dessa escola é que o único estrategista de uma organização é o executivo que está no topo. A formação da estratégia deve ser vista como uma **concepção**, e a estratégia deve ser fruto de um ajuste entre as **capacidades internas e as possibilidades externas**, fazendo clara analogia ao uso da **análise SWOT**. Outras características importantes são a **simplicidade e a informalidade da estratégia**, para os autores dessa escola, apesar da estratégia ter que ser **explícita** para os demais membros, ela não deve ser muito detalhada e burocratizada. **Andrews** diz que "A simplicidade é a essência da boa arte", Mintzberg também reproduz essa frase em seu livro. Entre as principais críticas dessa escola estão: a negação da estratégia desenvolvida de maneira incremental e a ausência da participação de outros funcionários da organização no planejamento estratégico.

Escola do planejamento: seguiu semelhantemente à linha de estratégia do design, no sentido de que o chefe executivo é o responsável principal pela estratégia e que se deve analisar as características internas e externas. Como mudanças, transformou o processo, antes simples em informal, em **muito mais detalhado e formal**, repleto de passo a passo e **checklists** (listas de verificação). Além disso, nessa escola o executivo contava com uma equipe de planejadores. A ideia é a seguinte: os planejadores montavam a estratégia, porém o chefe executivo aprova. Na teoria, a responsabilidade pela estratégia era do chefe, porém na prática sobrava para os planejadores.

Escola do posicionamento: esta escola, em especial, merece grande respeito por ter servido como um divisor de águas no pensamento estratégico. Inspirada quase que totalmente em **Michael Porter** e no seu livro **Estratégia Competitiva** (*Competitive Strategy*, 1980), foi inovadora em **limitar as possibilidades de estratégia**. Porter defendia que poucas estratégias-chave deveriam ser usadas em determinado setor, e essas seriam as que poderiam ser defendidas pela organização contra a concorrência. Essas são as ideias das **estratégias genéricas – custo, foco e diferenciação**. Essa escola também ressaltou o **processo analítico**, dando maior importância à análise de fatos do passado e de dados estatísticos. Apesar de não renegar o modelo de análise SWOT e as demais contribuições da escola do design e do planejamento, acrescentou em seu escopo o modelo **das cinco forças competitivas**, de Porter, mas isso discutiremos em outro momento.

Design	Planejamento	Posicionamento
▪ Processo de Concepção ▪ Um único estrategista (chefe executivo) ▪ Informalidade e Simplicidade ▪ Análise SWOT como referência	▪ Processo detalhado e Formal ▪ Checklists e Etapas ▪ Responsabilidade na teoria do Chefe do Executivo; na prática dos planejadores	▪ Processo Analítico ▪ Limitação de estratégias ▪ Estratégias Genéricas ▪ Análise SWOT e modelo das 5 forças competitivas

FIGURA 2.6 – Escolas prescritivas.

Vamos ver como este assunto já foi cobrado?

14. (CESPE – 2012 – ANAC – Especialista em Regulação de Aviação Civil) A escola de design volta-se à avaliação externa, à avaliação interna e à criação, avaliação, escolha e implementação da estratégia.

Apesar de o enunciado ser bem genérico, é exatamente isso. As avaliações externas e internas estão ligadas à famosa análise SWOT, ao passo que a avaliação, escolha e implementação da estratégia são funções do CEO da empresa. Gabarito correto.

15. (FGV – 2016 – IBGE – Analista – Planejamento e Gestão) No livro *Safári de Estratégia*, Mintzberg et al. (2000) apresenta a perspectiva de 10 escolas de pensamento sobre formulação de estratégia. Essas escolas foram divididas em três agrupamentos em função de sua natureza. É correto afirmar que:

a) as escolas prescritivas estão mais preocupadas em como as estratégias são, de fato, formuladas.

b) as escolas descritivas estão mais preocupadas em como as estratégias devem ser formuladas.

c) a escola do grupo configuração está mais preocupada em como as estratégias devem ser comunicadas.

d) as escolas prescritivas estão mais preocupadas em como as estratégias devem ser formuladas.

e) a escola do grupo configuração está mais preocupada em como as estratégias geram os resultados pretendidos.

Por mais que ainda não tenhamos estudado os outros agrupamentos, com base no que aprendemos sobre as escolas de natureza prescritiva, já conseguimos responder a essa questão. Essa é uma questão fantástica de se ter aqui, pois mostra exatamente como a banca quer a resposta e como ela é fiel ao livro de Mintzberg *et al*. A alternativa A está errada porque as escolas prescritivas não estão preocupadas, de fato, em como as estratégias são formuladas, e sim, como as estratégias *devem* ser formuladas, que é exatamente o que diz o nosso gabarito, letra D. Percebe? Em alguns pontos, temos que ser catedráticos com o aprendizado.

Avançando, as **escolas de natureza descritiva** se preocupam em como, de fato, o processo de formulação estratégica acontece. Vamos direto a cada uma delas.

Escola empreendedora: aqui o processo é visto como **visionário**, baseado na **intuição** do líder, que é único e responsável. Com base em julgamentos, sabedoria, experiência e critérios, é criada uma perspectiva que é associada com o senso de direção do líder para traçar a estratégia. O pensamento preponderante dessa escola é que o planejamento estratégico nada mais é do que uma **visão** do líder, o qual é responsável por constantemente revisar e adaptar a sua estratégia. Entretanto, a sua visão está muito mais ligada a uma "imagem de futuro" do que a um plano minuciosamente articulado.

Escola cognitiva: a ideia dessa escola é o estudo de como as pessoas captam as informações de fora e as estruturam em suas mentes para montar uma estratégia. É um processo mental. Para essa escola, as estratégias são vislumbradas como perspectivas, o que significa dizer que são vistas como **esquemas e mapas mentais**, fazendo uma modulação das informações que extraíram do ambiente.

Escola do aprendizado: já parou para perceber que em muitas coisas da vida começamos pensando que seria de uma maneira e, muitas vezes, no final percebemos ser completamente diferente? A escola do aprendizado trata a estratégia dessa forma. Para ela, o processo de estratégia é chamado de **emergente**, o que significa dizer que ele não nasce com data marcada, ele ocorre naturalmente, conforme o tempo vai passando. Um ponto-chave dessa escola que você não pode esquecer é que o processo de aprendizagem é formado pela **coletividade** da empresa, e não por uma única pessoa. Isso ocorre devido ao fato de se pensar que o ambiente organizacional é complexo e que são necessárias diferentes pessoas com diferentes modos de pensar para se montar a estratégia. Cabe ao líder criar um ambiente adequado para que esse planejamento ocorra naturalmente. **Mintzberg** explica que "as estratégias aparecem primeiro como padrões do passado; mais tarde, talvez, como planos para o futuro e, finalmente, como perspectivas para guiar o comportamento geral".[18]

---

18. MINTZBERG, Henry; AHLSTRAND, Bruce; LAMPEL, Joseph. *Safári de Estratégia:* Um roteiro pela selva do planejamento estratégico. 2. ed. Porto Alegre: Bookman, 2010. p. 202.

Escola do poder: política! Essa palavra resume muita coisa por aqui. A ideia da escola do poder é conseguir as coisas por meio de negociações, tanto internamente, quanto externamente, e as estratégias são fundamentadas em todo este poder político. Para o plano interno, ligado à organização, a escola tem o chamado **micropoder**, em que consiste na persuasão e barganha entre os próprios *players* de dentro da organização. Como exemplo, poderíamos dar a nomeação de uma pessoa para a diretoria de marketing da empresa, decidida em uma reunião com os seus sócios. Para o plano externo, a escola tem o chamado **macropoder,** em que consiste no uso de política e poder para negociar com os *players* do ambiente externo, como concorrentes, bancos, consultorias, etc. Para essa escola, as estratégias são muito mais **meras posições e formas de se criar manobras** do que perspectivas estruturadas.

Escola cultural: o processo estratégico é criado com base nos princípios, valores, e crenças da coletividade, por isso recebe o nome de **processo coletivo**. Depreende-se desse exposto, que o processo estratégico é derivado de uma interação social com base nas interpretações comuns das pessoas de dentro de uma organização. Ficou confuso, certo? Então vamos pensar de maneira prática. Imagine que o seu filho estude em um colégio cristão. Provavelmente, dentro das estratégias desta escola tenham modelos de conduta com controle relativo, como, talvez, de vestimentas, de proibição de palavreados de baixo calão e, dentro de sua grade de componentes, tenha um estudo bíblico. Percebeu? Existem princípios enraizados e aceitos por todos. O ponto ruim desta escola, é que algo cultural é difícil de ser transformado, portanto, o pensamento estratégico nem sempre consegue se adaptar ao meio ambiente dentro desse processo estratégico.

Escola ambiental: muitas vezes você já se sentiu em uma situação de mãos atadas, correto? Em que se tinha apenas uma opção ou poucas a se fazer. A linha de pensamento dessa escola é muito parecida com o exemplo criado acima. Para essa escola, o comportamento estratégico é passivo, o ambiente – tudo que não é da organização – apresenta as possibilidades, e cabe à organização se adaptar ao que tem. O processo estratégico dessa organização é conhecido como **reativo**, pois reage ao que lhe foi apresentado. Agora vamos sintetizar as 6 escolas de natureza descritiva:

Empreendedora	Cognitiva	Aprendizado
■ Processo visionário baseado na intuição de um único Líder ■ É como uma visão	■ Processo mental ■ Perspectivas estratégicas baseadas em mapas mentais, esquemas e conceitos	■ Processo emergente, estratégia surge com o tempo ■ Processo formado por toda a coletividade
Estratégias Descritivas		
Poder	**Cultural**	**Ambiental**
■ Processo político ■ Micropoder Negociação Interna ■ Macropoder Negociação Externa	■ Processo coletivo, baseado em princípios e crenças da coletividade ■ Interpretações comuns e Interação social	■ Processo reativo ■ A organização é passiva ■ O Ambiente dita as regras e a organização tem que se adaptar

FIGURA 2.7 – Escolas descritivas.

Agora vamos partir para a última linha de pensamento, que é formada por uma única escola, a **da configuração**. Esta estratégia pensa da seguinte forma: as organizações são configuradas para determinadas situações e, de tempos em tempos, sofrem transformações para adaptarem-se a outras situações, ou seja, a sua configuração é funcional até certo ponto de estabilidade, depois precisam se transformar para outro cenário. Nessa escola, as organizações são vistas como configurações, de características e comportamentos, que funciona até certo ponto, e daí em diante precisa ser transformada em outra configuração. Outro pensamento interessante dessa organização é que como para cada período de tempo (situação nova) a organização precisa de uma configuração, ora ela pode adotar uma postura de estratégia baseada em processo reativo, ora em processo visionário, ora em processo analítico... Bom, parece que já discutimos sobre muita coisa! Agora vamos praticar. Conforme esmiuçamos algumas questões, você perceberá que neste livro existe o néctar de cada assunto importante.

16. (CESPE – 2008 – MTE – Administrador) Segundo Mintzberg, a organização que forma sua estratégia como um processo visionário adota a escola do design.

Essa questão está errada. A escola que tem como base o processo visionário é a escola empreendedora, mas tenho certeza que todos acertaram. Agora tudo deve estar mais fácil.

17. (CESPE – 2008 – MTE – Administrador) A escola de poder pressupõe a estratégia como um processo de negociação.

Como discutimos, a escola do poder é baseada toda em política, e o seu processo, de fato, é de negociação. Comentamos sobre o micropoder – negociações internas – e sobre o macropoder – negociações externas. Gabarito correto.

Muitas outras questões são formuladas da seguinte forma: colocam dentro de uma tabela de um lado o nome das escolas e, do outro, ou o nome do processo estratégico (lembra, reativo? Analítico? Coletivo?) ou das características, e pedem para o candidato associá-los. Pois bem, assunto zerado! Vamos agora discutir as estratégias específicas dos principais autores cobrados em prova, mas antes, conheceremos um pouco mais sobre o que é estratégia de fato. Nos livros de **Maximiano**, encontramos algumas definições de estratégia:[19]

GRAY (2010): administração e uso dos meios por meio de maneiras predefinidas para se obter os objetivos desejados.

McDONALD (1996): estratégia é uma política imaginada para reduzir e controlar (essas) incertezas (falta de informação e comportamento dos adversários num jogo).

MURRAY e GRIMSLEY: estratégia é um processo, uma adaptação constante a condições e circunstâncias cambiantes em um mundo dominado pelo acaso, pela incerteza e pela ambiguidade.

Outros autores importantes:

PORTER (1980): estratégia competitiva é composta por ações ofensivas ou defensivas para criar uma posição defensável numa indústria, para enfrentar com sucesso as forças competitivas e assim obter um retorno maior sobre o investimento.

ANSOFF (1965): estratégia é um conjunto de regras de tomada de decisão em condições de desconhecimento parcial. As decisões estratégicas dizem respeito à relação entre a empresa e o seu ecossistema, produto, mercado.

Como podemos perceber, no geral, os autores pensam em estratégia como a forma de se conseguir alcançar os seus objetivos (o caminho), seja de maneira ofensiva ou defensiva. Também são levadas em consideração a definição de objetivos e a análise ambiental, para que seja feito ajustes.

Como decorrência dos inúmeros pensadores de estratégia, duas correntes majoritárias surgiram. A abordagem do **posicionamento (ou da adaptação)**, que tem como principais características a adequação estratégica ao ambiente e a construção de uma vantagem competitiva, tendo como percursor desse movimento Porter, e a abordagem de **movimento (ou da intenção estratégica)**, que prega a ideia de **hipercompetição**. Para essa abordagem, a evolução da concorrência e a instabilidade de

---

19. MAXIMIANO, Antonio C. Amaru. *Teoria Geral da Administração*. Edição compacta. 2. ed. São Paulo: Atlas, 2012, p. 240-241.

mercado é tão grande, que seria impossível defender uma vantagem competitiva por muito tempo, por este motivo o ideal é se transformar constantemente (renovação) e administrar as suas *múltiplas vantagens competitivas não duráveis*; os principais autores dessa corrente são: **Hamel e Prahalad**.

2.8 Porter – forças competitivas e estratégias genéricas

Lembram da análise SWOT? Pois bem, as **cinco forças competitivas propostas por Porter** são mais um meio de complementar a análise de um ambiente. Maximiano explica que, quanto mais competitivo, instável e complexo é um ambiente, maior é a necessidade de sua análise.[20]

Dentro da estrutura das cinco forças competitivas, Porter propõe: poder de barganha dos fornecedores, ameaça de produtos e serviços substitutos, poder de barganha dos compradores, ameaça da entrada de novos competidores e a rivalidade entre os concorrentes.

Poder de barganha dos fornecedores: Porter cita algumas situações que podem *empoderar* os fornecedores, como por exemplo: os produtos do fornecedor são importantes demais para o seu negócio (comprador), o fornecedor não depende de um único comprador, os produtos do fornecedor são únicos, e quando o custo para a troca de fornecedor é elevado. Esses são alguns exemplos dentre várias possibilidades. De maneira geral, o poder do fornecedor cresce à medida que ele aumenta o controle da situação.

Ameaça de produtos e serviços substitutos: aqui a preocupação é com a facilidade de os clientes acharem um produto substituto com qualidade igual ou maior. Por exemplo, hoje, além da gasolina, possuímos o combustível de etanol, o que afeta as vendas do petróleo. O critério também serve para serviços, por exemplo: Eu posso fazer propaganda de uma empresa em rádios, ou posso pagar, talvez, até um valor menor e fazer propagandas nas redes sociais, como postagens patrocinadas.

Poder de barganha dos compradores (clientes): existem alguns fatores que aumentam o poder de negociação dos clientes, como: **a) quando eles fazem compras em grandes volumes**, podendo exigir melhores descontos, **b) quando compram produtos de fácil acesso**, já que existe uma vastidão de fornecedores, e, dentre outros, principalmente **c) quando possuem muitas informações**. Existem vários aspectos que *empoderam* os clientes, mas um grande ensinamento de Porter é que os clientes

---

20. MAXIMIANO, Antonio C. Amaru. *Teoria Geral da Administração*. Edição compacta. 2. ed. São Paulo: Atlas, 2012. p. 247.

pensam diferente um dos outros, sendo assim, quando dispõem de muitas informações podem exigir preços melhores, prazos de entrega melhores, mais qualidade, etc.

Ameaça de entrada de novos competidores (concorrentes): também chamado de ameaça de novos entrantes, nesta força competitiva Porter discorre sobre a facilidade ou dificuldade de um novo concorrente surgir. Aqui são levadas em consideração as **barreiras de entrada**. Por exemplo, é mais fácil uma lojinha de roupas ou uma copiadora ter um novo concorrente do que uma empresa especializada em genética. Dentre as barreiras de entrada, **Porter comenta sobre 7: a) economias de escala** – uma organização que já está situada há muito tempo tem mais economia no seu custo unitário de fabricação; **b) diferenciação de produto** – uma empresa estável já tem uma marca reconhecida e a fidelidade de alguns clientes; **c) exigências de capital** – todo negócio requer recursos financeiros para a sua abertura; **d) custos de troca** – em algumas situações, a troca de fornecedor para o cliente tem um custo adicional, por exemplo, determinado cliente quando abastece em um posto de gasolina mais de 500 reais ganha uma troca de óleo da marca "Super óleo", mas ele deseja colocar da nova marca "Óleo alegre" e paga por isso; **e) acesso aos canais de distribuição** – novas organizações nem sempre conseguem espaço para divulgar seus produtos, por exemplo, empresas alimentícias nem sempre conseguem prateleiras para seus produtos nos mercados; **f) desvantagens de custo independente da escala** – Outros fatores além da escala podem incidir no custo das novas organizações, como *know-how* de mercado (conhecimento dos macetes), acesso à mão de obra, matéria-prima ou tecnologia adequada (pagar patente?!), localização da organização e outros; **g) política governamental** – novas organizações podem sofrer limitações ou restrições no seu acesso. São comuns a exigência de licenças e a obrigação de seguir um quadro de regras.

Rivalidade entre os concorrentes: A ideia aqui é a seguinte – quanto maior o número de *players* concorrentes ou/e quanto mais parelha for a capacidade de seus recursos, maior é o ambiente de competição – aumentando o número de liquidações, promoções e ações mercadológicas ligadas à competição. Outras situações que inflamam o ânimo de competição é a **lentidão de um cenário**, devido ao fato de não haver crescimento, as empresas tentam de tudo para conseguir clientes, e o alto **custo de armazenagem**, obrigando as empresas a tentarem girar rapidamente os seus estoques. Vamos ver como esse conteúdo já foi cobrado em provas.

18. (FCC – 2012 – TST – Analista Judiciário – Análise de Sistemas) O modelo das Cinco Forças de Porter foi criado por Michael Porter em 1979 e tem por objetivo a análise da competição entre empresas. O modelo considera cinco fatores importantes, as chamadas forças competitivas, que devem ser estudadas para o desenvolvimento de uma estratégia empresarial eficiente. Segundo o modelo,

as forças competitivas que atuam sobre uma empresa são: poder de barganha dos fornecedores, poder de barganha dos clientes/consumidores, ameaça de novos entrantes no mercado, ameaça de produtos e serviços substitutos e

a) grau de rivalidade entre os concorrentes do mercado.

b) facilidade de criação de novos produtos e renovação da gama atual.

c) potencial de aquisição de produtos pelos clientes/consumidores.

d) alta demanda de produtos e capacidade de entrega pelos fornecedores.

e) manutenção do grau de satisfação dos clientes/consumidores.

Acredito que você, de imediato, notou que o gabarito correto é a letra A. Essa é uma questão fácil depois que você sabe o assunto, agora imagine para um candidato que "apenas ouviu falar" das forças competitivas de Porter. Ele estaria confuso! Muito provavelmente pensaria "Já tem ameaça de novos entrantes ali em cima, então não pode ser rivalidade de concorrentes"... Agora você, leitor deste livro, jamais errará uma questão como essa.

Agora que você já tem uma boa noção sobre Porter e as cinco forças competitivas, vamos falar sobre as suas estratégias genéricas. Ele as divide em três: **diferenciação, liderança do custo e foco**. Todas muito cobradas em prova!

Diferenciação: essa estratégia consiste em identidade própria! Ter um produto ou serviço único, seja por causa da sua grande inovação e qualidade, seja por causa do serviço prestado, seja por causa do seu estilo. **Maximiano** cita como exemplos o **McDonald's**, que enfatiza a qualidade uniforme de seus produtos (tudo padronizado!) e a **Montblanc**, que possibilita exclusividade e prestígio para os seus clientes.

Liderança de custo: aqui a ideia não é ter um diferencial, mas sim conseguir vender um produto ou serviço mais barato do que a concorrência. Para o alcance dessa estratégia, algumas situações podem ser criadas, como uma produção eficiente, a busca de mão de obra e matéria-prima mais barata e a entrada em uma cadeia logística adequada. Essa estratégia é muito usada quando os produtos deixam de ser novidade e passam a ser comuns.

Foco: também chamada de concentração, nicho ou enfoque, essa estratégia consiste em escolher determinado segmento de mercado e focar nele. O que motiva essa estratégia é o fato de ser muito mais fácil dominar um pequeno mercado do que o mercado total. Por exemplo: É mais fácil uma editora focar em livros apenas de concursos do que de qualquer gênero. Dentre as várias opções de enfoque, cabem destaques:

Produtos ou serviços em particular: restaurantes vegetarianos, empresas de pacotes de turismo.

Grupos específicos de clientes: empresas que focam suas vendas em torcedores de futebol.

Mercados geográficos específicos: empresas que vendem açaís e/ou sorvetes na praia.

Vamos praticar?

19. (CESPE – 2013 – ANCINE – Analista administrativo) **As estratégias genéricas pela liderança de custo e pela diferenciação, propostas por Michael Porter para criar uma posição sustentável a longo prazo, não podem ser usadas em conjunto, dado seu caráter mutuamente exclusivo.**

Essa questão é interessante porque nos permite explicar mais um detalhe. Embora, segundo Porter, a organização deva se posicionar, nada a impede de tomar duas posições, desde que ela consiga defendê-las. Portanto, as estratégias genéricas podem ser usadas tanto isoladamente como em conjunto. Gabarito errado.

20. (CESPE – 2011 – TJ CE – Analista judiciário área administrativa) **As capacidades de adaptação de uma organização são exemplos das características organizacionais das estratégias competitivas propostas por Michael Porter.**

Esta é uma questão que demanda mais calma e raciocínio. Porter criou três estratégias genéricas: custo, foco e diferenciação, até aqui, OK. Custo tinha como bases a eficiência e a produtividade, para que se consiga vender mais barato, diferenciação tinha como base a inovação, e foco o domínio de determinado segmento. O que ocorre é que essas são estratégias de vantagens competitivas, que necessitam de defesas e não de adaptação. A ideia aqui é escolher isoladamente ou em conjunto determinadas estratégias e lutar para defendê-las, diferente do pensamento da **escola da configuração**, que prega o movimento e a transformação constantemente. Portanto, gabarito errado.

2.9 Ansoff – estratégias genéricas

Além de Porter, outros autores também escreveram sobre estratégias genéricas, aquelas que servem para diferentes organizações. No ano de 1965, foi apresentada para o mundo a **Matriz de Ansoff**, instrumento este que classifica as estratégias em **penetração de mercado, desenvolvimento de mercado, desenvolvimento de produto e diversificação**. Tal matriz usa como referência duas dimensões; a primeira diz respeito ao **mercado**, em que o classifica em novo ou tradicional (já existente), a segunda diz respeito **ao produto**, em que também o classifica em novo ou tradicional (já existente).

Penetração de mercado: ora, se a empresa já possui um bom produto, e se já existe um mercado consolidado com interesse neste produto, a estratégia é a de penetrar no mercado. A ideia é a seguinte: se você está com a faca e o queijo na mão, corte-o. A ideia aqui é ampliar o mercado e investir nos produtos já existentes.

Desenvolvimento de mercado: a estratégia é fundamentada na busca de novos mercados, quando você já dispõe de um produto tradicional. Exemplifiquemos: a venda de um refrigerante a base de guaraná, que seja tradicional na Amazônia, mas que ainda não seja comercializado no estado de SP.

Desenvolvimento de produto: acontece quando a empresa já atua em determinado mercado, mas quer lançar um produto novo. Exemplo: um restaurante tradicional de determinada região lança novos pratos.

Diversificação: nesta estratégia, a empresa lançará um produto novo e em um mercado em que ela não atua. Por exemplo: uma loja de produtos esportivos, localizada no estado de SP, abrir uma filial no estado do RJ, focada em vender suplementos alimentares, como *shakes* de proteína.

		Produto	
		TRADICIONAL	NOVO
Mercado	TRADICIONAL	Penetração de Mercado	Desenvolvimento de Produtos
	NOVO	Desenvolvimento de Mercado	Diversificação

FIGURA 2.8 – Matriz de Ansoff.

Agora vamos praticar!

21. (FCC– 2008 – TJ CE – METRÔ SP – Analista Trainee em administração) Na matriz produto/mercado (ou matriz de Ansoff), as estratégias:

I. de crescimento pela venda de uma maior quantidade dos produtos existentes para os clientes existentes;

II. de crescimento pelo atendimento a novos clientes por meio da oferta de novos produtos.

Estas são, respectivamente, estratégias com foco em

a) penetração de mercado e desenvolvimento de mercado.

b) desenvolvimento de produto e diversificação.

c) desenvolvimento de mercado e desenvolvimento de produto.

d) penetração no mercado e diversificação.

e) diversificação e desenvolvimento de mercado.

Algumas pessoas preferem resolver essa questão decorando as possibilidades. Eu acredito que entender seja melhor, pois já existem muitos assuntos para o *concurseiro* decorar, e este não precisa ser um deles. A primeira assertiva fala de uma estratégia que coincide clientes tradicionais com produto tradicional, como falamos, quando a empresa está nesta posição basta penetrar no mercado! Mergulhar! A segunda assertiva coincide novos clientes com novos produtos e, como já vimos, neste caso a estratégia é diversificar. Gabarito letra D.

2.10 Matriz BCG

Já que focamos um pouco em produtos e estratégias, aproveito para apresentar-lhes a matriz BCG, também já cobrada algumas vezes em concursos. A matriz BCG trata-se de um **modelo para análise de portfólio de produtos ou de unidades de negócio** e é baseada no conceito de ciclo de vida de um determinado produto.

A matriz BCG, também chamada de **matriz de crescimento e participação**, foi criada pelo grupo norte-americano Boston Consulting Group – empresa de consultoria. Esta matriz é uma importante ferramenta de seleção estratégica e considera duas dimensões: crescimento do mercado em que atuam e grau de participação no mercado.

	Participação de Mercado	
	GRANDE	PEQUENO
Crescimento de Mercado — GRANDE	Estrelas ★★	Pontos de interrogação ???
Crescimento de Mercado — PEQUENO	Vacas Leiteiras R$	Vira-latas ou Abacaxis ☹

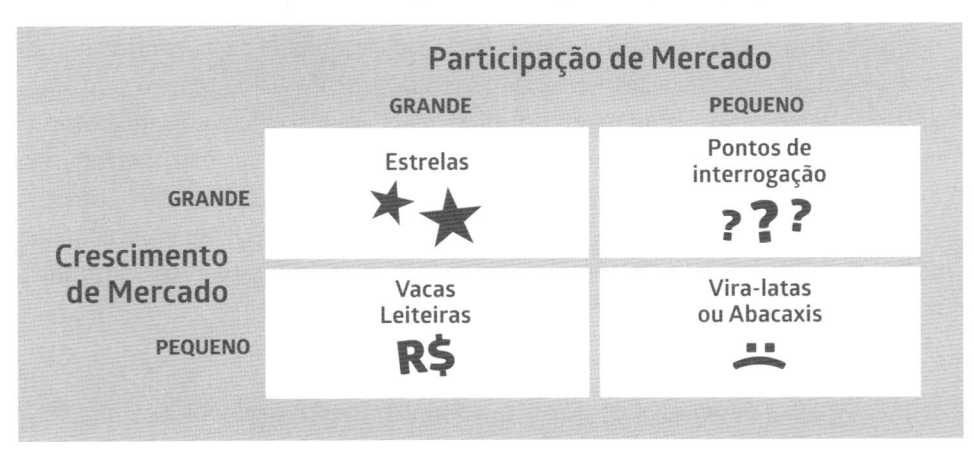

FIGURA 2.9 – Matriz BCG.

Pontos de interrogação: são produtos ou unidades de negócios que ainda não estão com grande presença no mercado, apesar de ter espaço. Normalmente, são produtos novos ou produtos que requerem um maior investimento e/ou esforço. O quadrante tem o nome de ponto de interrogação, porque o dinheiro que será investido em busca de seu crescimento tem um retorno incerto. Exemplo: uma nova empresa aberta em um bairro e que ainda tenha uma clientela pequena. Não se sabe se com o tempo vai melhorar ou não, apesar das pessoas gostarem do produto que a empresa vende.

Estrelas: aqui é mil maravilhas. A participação de mercado da empresa está alta e, mesmo assim, a taxa de crescimento de mercado continua excelente, por isso o produto ou a unidade de negócio é uma estrela. Lucratividade certa! Exemplo: lançamentos dos Iphones. A Apple consegue uma ótima participação de mercado e, mesmo assim, o mercado continua crescendo a cada lançamento. O problema é a quantidade de concorrentes.

Vacas leiteiras: aqui o mercado é estável e a participação da empresa é grande. Não é necessário alto grau de investimento, porém a estratégia aqui é o monitoramento para o mercado não começar a perder interesse, já que não cresce, ou cresce muito pouco. Exemplo: venda de açaís no Brasil. Quando surgiu, teve uma taxa de crescimento altíssima, hoje a maioria das pessoas gosta, mas o mercado é estável e não existe mais um "boom" de novidade.

Vira-latas ou Abacaxis: são produtos (ou unidades de negócios) que possuem uma baixa participação no cenário, além de quase não existir um crescimento deste mercado explorado. A organização deve tomar uma decisão: tentar fazer um plano de recuperação (alto investimento) ou descontinuar a venda do produto, ou até mesmo fechar a empresa. Exemplo: venda de "peões" de criança no Brasil.

É importante frisar que a classificação feita em determinado dia para um produto, não necessariamente deva se manter a mesma para sempre. Muito pelo contrário. Na maioria das vezes um produto passa por várias classificações, sendo, majoritariamente, a ordem "ponto de interrogação" – participação pequena, mas mercado em crescimento, "estrela" – participação grande e o mercado ainda crescendo (muitos concorrentes), "vacas leiteiras" – participação ainda grande e o mercado com baixo crescimento (menos concorrentes), e por último "abacaxis" – tudo caindo... chegando o produto no final da sua vida útil.

Agora vamos brincar um pouco!

22. (FCC – 2016 – Copergás PE – Analista administrador) A Matriz BCG é uma análise gráfica desenvolvida por Bruce Henderson para a empresa de consultoria empresarial americana Boston Consulting Group em 1970. Esta matriz é uma das formas mais usuais de representação do posicionamento de produtos ou unidades estratégicas de negócio da empresa em relação a variáveis externas e internas. Os produtos devem ser posicionados na matriz e classificados de acordo com cada quadrante. De acordo com referida classificação, um produto enquadrado como "vaca leiteira" assim o é porque

a) tem a pior característica quanto a fluxo de caixa, pois exige altos investimentos e apresenta baixo retorno sobre ativos e tem baixa participação de mercado.

b) a baixa participação de mercado gera poucos lucros, mas estes estão associados a um baixo investimento devido ao crescimento do mercado praticamente nulo.

c) exige grandes investimentos e é referência no mercado, gerando receitas e desfrutando de taxas de crescimento potencialmente elevadas. Fica frequentemente em equilíbrio quanto ao fluxo de caixa.

d) os lucros e a geração de caixa são altos e, como o crescimento do mercado é baixo, não são necessários grandes investimentos.

e) é considerado um produto fora do mercado, sem perspectiva de geração de caixa e "sugando" portanto a capacidade de investimento da empresa.

Vamos lembrar antes de resolver que **vaca leiteira** é um quadrante que representa alta participação de mercado para o produto e baixo índice de crescimento de mercado, ou, em outras palavras, um mercado estável, com poucos riscos de concorrência e sem a necessidade de grandes investimentos. Agora analisemos as alternativas. A letra é descabida, pois fala o inverso, já que o produto gera um ótimo fluxo de caixa, necessita de pouco investimento e ainda tem alta participação de mercado. A letra B começa falando em baixa participação de mercado, o que já sabemos que é mentira. A letra C fala em grandes investimentos, quando, na verdade, não é necessário, já que o mercado está estabilizado. A letra D é o nosso gabarito, reproduz perfeitamente o significado do quadrante **vaca leiteira**. A alternativa E está relacionada ao quadrante "abacaxi".

Mais uma, para não restar dúvidas.

23. (FCC – 2013 – SERGAS – Analista de marketing) Existem diversas ferramentas para análise do plano de portfólio de negócios de uma organização. Uma das mais populares é a Matriz BCG, proposta pelo Boston Consulting Group. Em relação a esta ferramenta de análise estratégica,

a) as duas dimensões que constituem as coordenadas de posicionamento das unidades analisadas na Matriz BCG são a atratividade do setor e a força comercial da organização no setor.

b) um dos aspectos de grande utilidade da Matriz é que ela prevê relações diretas entre participação de mercado e lucratividade.

c) de acordo com a Matriz, "vacas leiteiras" são marcas, produtos ou UENs (Unidades Estratégicas de Negócios) em mercados que apresentam crescimento rápido, nos quais a empresa tenha alta participação mas que, entretanto, tendem a atrair muita concorrência.

d) de acordo com a Matriz, "estrelas" são marcas, produtos ou UENs (Unidades Estratégicas de Negócios) que apresentam crescimento lento, na qual a concorrência é menos intensa associada à liderança de mercado, mas que fornecem receitas contínuas e sustentáveis.

e) de acordo com a Matriz, "pontos de interrogação" são marcas, produtos ou UENs (Unidades Estratégicas de Negócios) da organização que ainda não apresentam resultados consistentes em termos de participação, mas que disputam mercados com alto potencial de crescimento.

Essa é uma questão muito bem estruturada. A alternativa A está errada porque as dimensões são crescimento de mercado e participação de mercados. A alternativa B está errada porque não existe previsão direta com lucratividade na matriz BCG. Vacas leiteiras esmiuçamos na questão acima, portanto alternativa C errada. Estrelas apresentam alto crescimento e participação de mercado, logo, nosso gabarito é a letra E. De fato, pontos de interrogação ainda não apresentam resultados consistentes em termos de participação de mercado, até por isso, muitas vezes acabam virando uma aposta da empresa.

2.11 Miles e Snow – comportamentos estratégicos

Para Miles e Snow, a estratégia deve ser classificada conforme os desafios que a organização encontra e precisa se adaptar. Foram identificados quatro comportamentos estratégicos, que refletem os diferentes cenários de produtos ou mercado.

Comportamento defensivo: imagine um restaurante altamente especializado em vender hambúrgueres, dificilmente ele vai querer vender tapioca, correto? É exatamente essa característica que se reflete no comportamento defensivo. Basicamente, acontece com empresas que têm um **foco de atuação muito estreito e definido**, e por esses motivos dificilmente se aventurariam em novos desafios, como na venda de novos produtos ou na exploração de novos segmentos. Essas organizações, nas palavras de Maximiano, raramente modificariam sua tecnologia, estruturas ou sistemas operacionais.

Comportamento prospectivo: existe uma busca constante por novos desafios no mercado, **o foco é em criatividade e inovação**. Lembra-se do planejamento prospectivo? Sugiro a releitura do tópico planejamento por cenários. As organizações que atuam com comportamento prospectivo criam situações de incerteza, que muitas vezes podem servir como exemplo para todo o mercado. Com toda essa inovação constante e as incertezas, essas organizações tendem a ser um pouco ineficientes, uma vez que economia não é a palavra-chave de inovação.

Comportamento analítico: o "X" da questão aqui é entender que as empresas caracterizadas como detentoras de um comportamento analítico **atuam em dois mercados**

(ou segmentos), sendo um estável e outro instável (em mudança). No cenário estável, a organização atua sem grandes ações inovadoras e/ou radicais. Já para o cenário instável, a organização procura acompanhar as "loucuras" do mercado, adaptando-se às necessidades impostas por ele e acompanhando as inovações da concorrência.

Comportamento reativo: as organizações que têm este comportamento são as que respondem ao mercado apenas quando são forçadas por pressões do cenário. Por isso a estratégia é um **comportamento de reação.** Imagine a cena: todas as empresas da cidade vendem açaí na tigela, além de em copos, menos a sua, pois já está acomodada a vender apenas no copo descartável. Surge uma lei que ou a obrigue a vender também em tigelas ou diminui os impostos para quem oferece também na tigela. Naturalmente, dada essa pressão ambiental, a sua organização fará a adaptação, como forma de reação à turbulência.

Comportamento Defensivo	Comportamento Prospectivo
■ Atuação estreita e definida ■ Poucas mudanças e inovação	■ Foco em criatividade em inovação ■ Criam situações de incerteza ■ Um pouco ineficiente
Comportamento Analítico	**Comportamento Reativo**
■ Atual em dois mercados: Estável – gestão rotineira Instável – gestão de adaptação	■ Comportamento de reação ■ Costumam responder ao mercado apenas quando são pressionadas

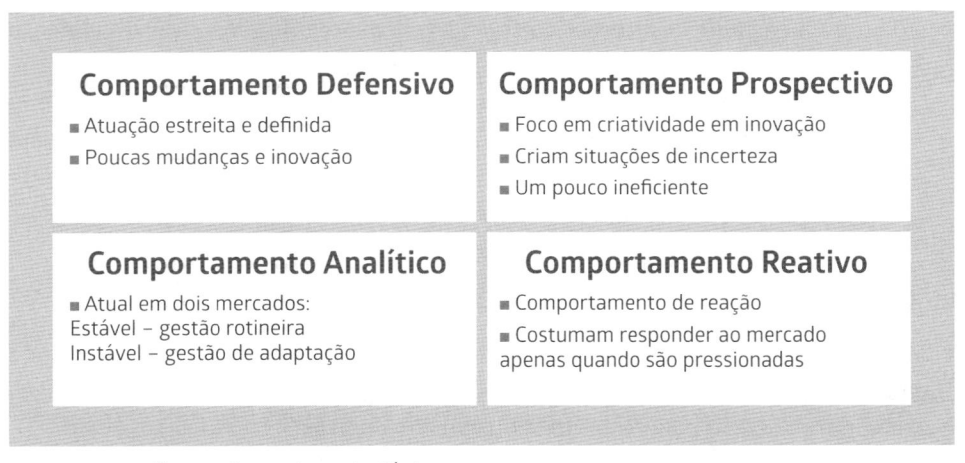

FIGURA 2.10 – Comportamentos estratégicos.

24. (CESPE – 2010 – INMETRO – Analista executivo em metrologia e qualidade) A respeito das concepções das escolas de planejamento estratégico, assinale a opção correta.

a) Segundo Igor Ansoff, as estratégias empresariais classificam-se nas seguintes categorias: penetração no mercado, desenvolvimento financeiro e diversificação.

b) Os comportamentos descritos por Raymond Miles e Charles Snow defensivo, analítico e de alienação consistem em estratégias de adaptação destinadas às organizações.

c) De acordo com o modelo elaborado pela escola do design, denomina-se estratégia a forma de se ajustar forças e fraquezas internas de uma empresa às ameaças e oportunidades externas de seu ambiente.

d) Na escola da aprendizagem, alicerçada na cognição, a formulação da estratégia restringe-se ao alto escalão da organização.

e) De acordo com as ideias da escola cultural, a estratégia consiste em um processo social fundamentado nas instâncias de poder.

Esta é uma questão que abarca um somatório maior de conteúdo, desenvolvendo desde a matriz de Ansoff até as escolas de planejamento e os comportamentos estratégicos de Miles e Snow. A alternativa A está errada – as estratégias para Ansoff são: penetração de mercado, desenvolvimento de mercado, desenvolvimento de produto e diversificação. A alternativa B está errada – os comportamentos de Miles e Snow são: defensivo, prospectivo (ofensivo), analítico e reativo (de reação). A alternativa C está CORRETA: a escola do DESIGN foi uma das primeiras, tinha como base, praticamente, apenas a análise SWOT. Para eles o planejamento é como uma concepção, e é baseado inteiramente na opinião de um único chefe. A alternativa D está errada: nessa escola, o planejamento estratégico não nasce, mas sim é formado à medida que TODOS da organização vão aprendendo coisas. Por fim, a alternativa E está errada: nessa escola, apesar de ser formada por um processo social, ele é baseado nos INTERESSES EM COMUM das pessoas, ou seja, em princípios, valores, etc., o que a maioria sente em relação à empresa e ao mundo.

2.12 Samuel Certo – estratégias genéricas

Não tão cobrado em prova, mas já exposto algumas vezes, o autor Samuel Certo também deixou a sua contribuição no estudo das estratégias. Conforme explica Maximiano, as estratégias de Certo são divididas em três:

Estratégia de estabilidade: tem a mesma ideia da estratégia de comportamento defensivo. Ocorre quando empresas são superespecializadas e atuam em cenários de pouco crescimento.

Estratégia de crescimento: segue a mesma linha de pensamento do comportamento prospectivo. Normalmente, as empresas buscam inovação e oportunidades constantemente. Desta estratégia podem nascer outras, como compra de fornecedores, concorrentes, operadores logísticos e expansão para outros segmentos.

Estratégia de redução de despesas: esta estratégia está intimamente relacionada à estratégia de sobrevivência. Ocorre quando a organização está numa péssima fase. Dentre as possibilidades de escape estão: desinvestimento, liquidação de negócio ou redução de custos.

Agora vamos praticar! Como você já percebeu, a ideia do livro é atrelar constantemente a teoria com o que, de fato, cai em provas!

25. (ESAF – 2013 – DNIT – Analista administrativo) Leia os trechos a seguir.

Primeira afirmativa: a literatura sobre estratégia é muito ampla, há uma corrente que defende que há três tipos: estabilidade, crescimento e redução de despesas. Com base nesta corrente de pensamento estratégico, pode-se afirmar que a estratégia de crescimento é também chamada de comportamento prospectivo.

Segunda afirmativa: o crescimento pode ser alcançado por meio de diferentes outras estratégias, como: compra de concorrentes, fornecedores ou distribuidores, ingresso em outros ramos de negócios (às vezes por meio de compras de empresas) e estabelecimento de parcerias com empresas de ramos de negócios complementares.

A respeito dessas duas afirmativas, é correto afirmar que:

a) somente a primeira afirmativa está correta.

b) somente a segunda afirmativa está correta.

c) as duas afirmativas estão incorretas.

d) as duas afirmativas estão corretas e a segunda explica a primeira.

e) as duas afirmativas estão corretas, mas a segunda não explica a primeira.

A banca reproduziu exatamente os ensinamentos de **Maximiano,** nossa referência neste tema, sobre as estratégias de **Samuel Certo**. A questão está corretíssima, portanto o nosso gabarito é a letra D. Mais um comentário, a segunda afirmativa explica a primeira, porque clareia as formas de se chegar ao crescimento; além disso, por se tratar de um comportamento prospectivo, o gestor pode fazer vários cenários, imaginando a compra de um fornecedor, imaginando a mudança de negócio, ou qualquer outra mudança.

2.13 Estratégias funcionais

De acordo com **Sobral e Peci (2008)**, "as estratégias de nível funcional são formuladas pelos departamentos da empresa e constituem planos de ação que servem para sustentar a estratégia de nível de negócio".[21] E ainda "por meio delas se define o papel de cada área funcional de forma a apoiar a estratégia de negócio, especificando os objetivos das áreas funcionais, bem como as ações necessárias para alcançá-los". Seria, basicamente, uma forma prática de um planejamento tático. Cada departamento deve estar em consonância com o planejamento estratégico, porém deve cuidar de suas especificidades para o alcance dos objetivos departamentais e globais.

---

21. SOBRAL, Felipe; PECI, Alketa. *Administração:* Teoria e prática no contexto brasileiro. São Paulo: Pearson Prentice Hall, 2008, p. 157.

São exemplos de áreas funcionais: produção, marketing, recursos humanos, financeiro, contabilidade, cadeia de suprimentos, TI (tecnologia de informação). A ideia é identificar as principais atividades e melhorar os pontos fracos.

2.14 Benchmarking

É um método em que a organização compara os seus resultados, os seus produtos e serviços e, principalmente, as suas práticas com outras organizações, seja do mesmo segmento ou não. Alguns autores concordam que o benchmarking pode até ser feito dentro da própria organização.

Além disso, é um processo contínuo e avaliativo de melhoria.

> **Atenção:** Existe uma divergência sobre o processo de benchmarking ser barato e rápido ou difícil e caro – quando, por exemplo, leva em consideração os custos para uma visita técnica e correlatos.

Para **Araújo** (2011), o benchmarking não é um modismo, um evento único, uma cópia e nem um processo fácil ou rápido, além disso, é guiado por princípios como: reciprocidade, analogia, medição e validade. Já para **Lobos** (1993), é um processo rápido, barato, útil e que consiste em uma comparação sistemática com a concorrência, visando a incorporação de suas melhores práticas.

26. (TJ-SC – 2011 – TJ-SC – Analista administrativo) O benchmarking representa um dos mais importantes componentes da "moderna administração". Assinale a definição correta de benchmarking:

    a) é um processo contínuo de avaliar produtos, serviços e práticas dos concorrentes mais fortes e daquelas empresas que são reconhecidas como líderes.

    b) é um processo contínuo de avaliar produtos, serviços e práticas dos concorrentes mais fracos e daquelas empresas que não são reconhecidas como líderes.

    c) é uma técnica que não permite comparações de processos e práticas dos concorrentes e sim em qual país cada empresa está localizada.

    d) é o mesmo conceito de outsourcing – compara, portanto, os fornecedores de cada organização.

    e) nenhuma das afirmativas é correta.

    Questão tranquila. Nosso gabarito é a letra A. O autor dessa questão apenas copiou um trecho da definição de benchmarking dada por **Chiavenato**. A única observação que cabe aqui é não ter citado a comparação interna, que também é aceita pela maioria dos autores.

27. (CESPE – 2015 – TER-RS – Técnico Judiciário – Administrativo) O benchmarking:

a) tem como objetivos garantir a qualidade e aumentar a produtividade.

b) é uma das formas mais rápidas, baratas e úteis de se obter inspiração para melhorar a qualidade em serviços.

c) é, em geral, utilizado na priorização de problemas e na análise de riscos.

d) possibilita agrupar causas por categorias e semelhanças, previamente estabelecidas ou percebidas durante o processo de classificação.

e) é uma ferramenta de representação das possíveis causas que levam a determinado efeito.

Essa questão é interessante porque, além de ser recente, ela mostra o posicionamento da banca sobre um assunto divergente. O gabarito da questão é a letra B, indo de encontro ao entendimento de Lobos, um autor de atendimento ao cliente, sobre o benchmarking ser barato e rápido, e não caro ou difícil. Dito isso, cabe uma análise mais detalhada. A alternativa B fala sobre uma forma rápida e barata de se conseguir **inspiração**, talvez isso a justifique como certa. A alternativa A está errada segundo a banca, porém alguns autores, principalmente da área de projetos, falam do benchmarking como uma forma de se buscar o aumento da produtividade. Talvez o erro da questão esteja na palavra **garantia**, pois nada garante que uma prática usada com sucesso em outra empresa, seja reproduzida com o mesmo sucesso em outra organização. As alternativas C, D e E nada têm a ver.

2.15 Controle estratégico

Como já aprendemos, o processo da administração estratégica segue algumas etapas, como diagnóstico atual, diagnóstico ambiental, formulação de estratégias, implementação (execução) e, finalmente, o controle estratégico. O controle estratégico existe para que se possa **corrigir os desvios que acontecem em determinados momentos de implementação**, portanto ele **avalia, compara e corrige** com a ajuda de planos, políticas, sistemas de informação, relatórios financeiros, balanços, indicadores de desempenho e outras formas.

Mas para que implementamos estratégias mesmo? Elaboramos e executamos estratégias para que os objetivos da organização sejam alcançados. O controle é feito, justamente, para assegurar o implemento dessas estratégias, na esperança de que os objetivos previamente definidos, sejam alcançados.

28. (CESPE – 2008 – INSS – Técnico do Seguro Social) O balanço e o relatório financeiro são exemplos de controle estratégico.

O gabarito da questão é certo. Balanço diz respeito à demonstração contábil, relatório financeiro carrega informações sobre receitas e despesas. Ambos são instrumentos que auxiliam no controle estratégico.

2.16 Balanced Scorecard (BSC)

Amigo, se tem um assunto que é importante para a sua prova, é este. Sublinha, usa marca texto, pinta de vermelho, escreve atenção, mas não perde o foco! Sugiro uma leitura específica deste assunto, reserve um dia ou um momento do dia só para o estudo do BSC.

O Balanced Scorecard, assim como o benchmarking – estudado anteriormente, é uma ferramenta de controle estratégico que visa abranger os principais fatores críticos de sucesso de uma organização, em vez de ficar centrado apenas na área financeira, e monitorá-los com **indicadores de desempenho**. Para quem não sabe, indicadores de desempenho são como medidores convencionais, porém medirão situações organizacionais. Na vida fora da empresa, conseguimos medir a temperatura de uma pessoa, a velocidade de um veículo, a metragem de um terreno e diversas outras coisas, já numa organização, o papel de um indicador de desempenho é avaliar se determinado critério está bom ou ruim, como, por exemplo, quanto em inovação a organização tem desempenhado por ano. Quantas patentes ela gerou nessa temporada? Para uma indústria farmacêutica, este critério seria tão importante como quanto ela teve de lucratividade, haja vista que o registro de patentes de remédios garante a sustentabilidade da empresa no longo prazo.

A ferramenta BSC foi criada por **Kaplan e Norton** no início da década de 1990, por isso, não é raro ver questões cobrando como **Ferramenta Kaplan e Norton**. Quatro dimensões foram criadas como padrão, também chamadas de perspectivas, são as seguintes: **financeira, clientes, processos internos e aprendizado e crescimento (ou inovação)**. Cada perspectiva se desdobra em uma série de medidas específicas, que podem gerar indicadores. Por exemplo, na perspectiva financeira podemos, além da análise geral, criar indicadores como: lucratividade, rentabilidade, taxa de retorno.

Um ponto importante é que a ferramenta Balanced Scorecard também pode ser usada **como instrumento de suporte na implementação de estratégias**, já que pode funcionar como uma forma de desdobrar os diferentes objetivos estratégicos e servir como esquema para todos os membros da organização se acharem e entenderem a importância de cada processo. Pense nisso. Você, funcionário de uma multinacional, acha esquematizado e colado numa parede as quatro perspectivas estudadas pela empresa, seus objetivos e seus indicadores. Você saberia exatamente para que foi contratado e o que deve fazer; agora lógico, ressalvados os assuntos confidenciais da cúpula.

```
                    Perspectiva
                    Financeira

    Perspectiva     Visão e      Perspectiva
    de Clientes     Estratégia   Processos Int.

                    Perspectiva
                    de Inovação
```

FIGURA 2.11 – Balanced Scorecard.

Perspectiva financeira: visa analisar o negócio do ponto de vista financeiro. Nas palavras de **Chiavenato**: "envolve os indicadores e medidas financeiras e contábeis que permitem avaliar o comportamento da organização frente a itens como lucratividade, retorno sobre investimentos, valor agregado ao patrimônio e outros indicadores que a organização adote como relevantes".[22]

Perspectiva dos clientes: visa analisar o negócio do ponto de vista dos clientes. Normalmente são usados indicadores e medidas que dizem respeito aos clientes, como satisfação, retenção e aquisição de novos clientes potenciais, ou que dizem respeito aos produtos/serviços e mercado, como valor agregado dos produtos, posicionamento no mercado e responsabilidade social.

Perspectiva dos processos internos: visa analisar o negócio do ponto de vista interno da empresa. Aqui existe uma gama muito grande de medidas e indicadores que pode ser usada alinhada ao interesse da empresa. Alguns exemplos de possíveis indicadores dos mais subjetivos aos mais objetivos: criatividade; qualidade dos processos e, por conseguinte, dos produtos; capacidade, eficiência e eficácia da cadeia logística; produtividade; e qualidade da comunicação.

Perspectiva de inovação: visa analisar o negócio de ponto de vista do aprendizado e da inovação. Estuda tanto a estrutura organizacional e o seu sistema quanto principalmente as pessoas. Nessa perspectiva, possíveis indicadores de desempenho diriam respeito a competências, motivação, capacidades, além de outros relacionados à estrutura da empresa responsável por alinhar as pessoas aos objetivos estratégicos.

---

22. CHIAVENATO, Idalberto. *Introdução à Teoria Geral da Administração*. 7. ed. Rio de Janeiro: Elsevier, 2004, p. 457.

Antes de treinarmos algumas questões sobre este importante assunto, faltou falar de outro ponto importante. A relação de **causa e efeito** que existe entre cada perspectiva e seu par. Nas palavras dos seus criadores o balanced scorecard "deve identificar e deixar explícita a sequência de hipóteses sobre as **relações de causa e efeito entre as medidas de resultado e os condutores da performance daqueles resultados**. Cada medida selecionada para um balanced scorecard deve ser um elemento em uma corrente de relações de causa e efeito, que comunica o significado da estratégia da unidade do negócio para a organização".[23] O que eles querem dizer com isso? Basicamente, que uma medida ou uma perspectiva é um resultado (efeito) e um elemento (causa) ao mesmo tempo. Vamos imaginar de forma prática. Imagine que você compra um livro pela internet e este livro chega à sua casa antes do prazo. Quando recebido, você ficou extremamente satisfeito, certo? Essa satisfação é uma medida da **perspectiva de clientes**. Agora vamos repensar. A agilidade na entrega do produto, toda essa ótima performance logística, faz parte de uma medida da **perspectiva de processos internos**, ou seja, os processos logísticos (perspectiva de processos internos) foram a causa da satisfação dos clientes (perspectiva de clientes), e a satisfação dos clientes foi resultado (consequência) da logística. Esquematizando: processo interno (causa), clientes (resultado). Agora vamos repensar de outra forma, mas usando o mesmo exemplo. Você, ao receber o livro, ficou tão satisfeito com a entrega que resolveu comprar mais dois livros, gerando assim uma maior lucratividade para a empresa de livros. Acho que já reparou, certo? A perspectiva clientes, que antes era vista como resultado (efeito) agora serve como causa para a perspectiva financeira, já que o aumento da lucratividade teve como causa a satisfação dos clientes. Esta análise sistemática é que deve ser bem compreendida, pois Kaplan e Norton não tinham como interesse criar uma mera coletânea de indicadores, mas sim criar métodos de **alinhar as estratégias da empresa com seus objetivos**.

A criação do Balanced Scorecard obedece a algumas etapas, sendo, em ordem: tradução e implementação da visão estratégica; transmissão dos objetivos e medidas de resultados para a organização em sua totalidade; estabelecimento de metas e alinhamento das iniciativas; e feedback e aprendizado.

Agora vamos brincar com algumas questões.

29. (FCC – 2016 – TRF – 3ª Região – Analista judiciário – área administrativa) O Balanced Scorecard – BSC corresponde a um modelo de gestão estratégica que alinha missão, visão e estratégia da organização a um conjunto de indicadores

   a) classificados como forças, fraquezas, ameaças e desafios.

   b) divididos entre individuais e corporativos.

---

23. KAPLAN, Robert S.; NORTON, David P. *Estratégia em ação* – balanced scorecard. Rio de Janeiro: Campus, 1997. p. 31.

c) que levam em conta, entre outras, a perspectiva dos clientes.

d) entre os quais predominam os de natureza procedimental.

e) dos quais se excluem os de natureza estritamente financeira.

Questão bem simples. Espera-se que o aluno já saiba que a alternativa A está errada porque corresponde aos aspectos da análise SWOT. A alternativa B está errada porque não existe essa divisão. A alternativa C é o nosso gabarito. A alternativa D está errada e, se pensarmos bem, existem várias perspectivas subjetivas, como a de clientes e a de aprendizado e crescimento, em que os autores convertem os resultados em índices "tangíveis". A alternativa E também está errada, haja vista que existe a perspectiva financeira. Próxima!

30. (CESGRANRIO – 2013 – BNDES – Profissional básico – Engenharia) O Balanced ScoreCard (BSC) é muito utilizado em empresas de todo o mundo.

Um dos motivos de seu sucesso se deve ao fato de o BSC

a) apresentar duas dimensões: perspectiva financeira e governamental.

b) apresentar três dimensões: perspectiva financeira, do cliente e governamental.

c) apresentar quatro dimensões: perspectiva financeira, do cliente, interna e governamental.

d) enfatizar o resultado financeiro final.

e) procurar fornecer a visão de conjunto dos fatores críticos de sucesso.

A alternativa A está errada porque são quatro dimensões, e nenhuma delas é "governamental". As alternativas B e C estão erradas pelo mesmo motivo da A. A alternativa D está errada, porque o BSC enfatiza o gerenciamento estratégico, com foco na implementação e no controle, e não, meramente, nos resultados. Nosso gabarito é a alternativa E. O Balanced Scorecard busca uma visão conjunta dos fatores críticos e de forma desdobrada, facilitando o entendimento dos objetivos estratégicos. Os próprios autores Kaplan e Norton explicam que o BSC é mais do que uma coletânea de indicadores. Empresas inovadoras o usam como a estrutura organizacional básica de seus processos gerenciais.

31. (CESPE – 2008 – TCU – Analista de controle externo) A cadeia de causa e efeito deve permear todas as perspectivas de um BSC, garantindo encadeamento entre os objetivos das perspectivas, de modo a refletir as relações de causa e efeito assumidas na formulação das estratégias.

Esta questão está correta e demonstra como as bancas podem cobrar a relação de causa e efeito do sistema BSC. Como falamos, cada perspectiva pode servir como causa ou efeito em relação a outra. Um dado importante é que, apesar de existirem as quatro perspectivas padronizadas, uma empresa pode mudar, adaptando-se a sua realidade.

2.17 Mapas estratégicos

Os mapas estratégicos são **representações gráficas do processo de estratégia**. Conforme desenvolveu Kaplan e Norton, os primeiros mapas elaborados refletiam os desempenhos dos indicadores das quatro perspectivas do Balanced Scorecard. Ocorre que, com o passar do tempo, foi notada uma necessidade maior de **focar nos objetivos que realmente impactam uma empresa e nas relações de causas e efeitos entre as diferentes perspectivas e os seus respectivos objetivos**.

De acordo com os iluminados autores Kaplan e Norton, os mapas estratégicos **descrevem a lógica da estratégia, apresentam com clareza os objetivos e os ativos intangíveis necessários para respaldá-los**. Já o Balanced Scorecard traduz esses objetivos em indicadores e metas, separados em perspectivas. Todavia, tais objetivos e metas só poderão ser alcançados se **identificados**, e é nesse ponto que o mapa estratégico é fundamental.

Começa a ficar claro que o papel preponderante do mapa estratégico é **demonstrar de maneira clara e objetiva o processo estratégico da organização**, normalmente contendo a sua missão, visão, os seus objetivos estratégicos e algumas perspectivas de sua estratégia. De certa forma, o mapa estratégico serve como responsável por fazer a comunicação entre a organização e o seu corpo humano - as pessoas.

Outro aspecto importante na construção de um mapa estratégico tem a ver com uma "possível hierarquia de perspectivas", tendo como base a relação de causa e efeito. Vamos ver como isso já foi cobrado e explicar.

32. (CESPE – 2013 – TCE-ES – Analista administrativo – Administração) Na elaboração de um mapa estratégico em que seja utilizado o modelo clássico proposto pelos criadores do balanced scorecard, deve-se encontrar, na base do mapa, quando do estabelecimento da relação de causa e efeito, a perspectiva

    a) processos internos.

    b) sociedade.

    c) cidadão.

    d) inovação e aprendizado.

    e) financeira.

    Apesar de não existir uma hierarquia real entre as perspectivas, se levada **em consideração a relação de causa e efeito há um sequenciamento lógico**, de baixo pra cima, assim, na base: aprendizado e crescimento, em seguida processos internos, adiante clientes e no final financeiro. Diante do exposto, nosso gabarito é a letra D. Pontuamos que não há uma hierarquia por diversos motivos, os próprios autores Kaplan e Norton já explicaram que a organização pode decidir se segue o modelo de baixo para cima ou de cima para baixo, desde que, no final, as informações fluam para ambas as direções. Outro ponto importante é que, tratando-se de administração pública, por nem sempre existir o lucro e, muitas vezes, os processos serem completamente diferentes, são feitas diversas adaptações no mapa estratégico, podendo ter número de perspectivas diferentes, seja para menos, seja para mais, e elas serem completamente diferentes do que já vimos.

Abaixo, segue o exemplo de um mapa estratégico do setor público, retirado da Receita Federal do Brasil, referente ao ciclo de 2016-2019. Note que as perspectivas são outras, mas encontram-se em evidência a missão e a visão da instituição.

Mapa estratégico da Secretaria da Receita Federal do Brasil

MISSÃO
"Exercer a administração tributária e aduaneira com justiça fiscal e respeito ao cidadão, em benefício da sociedade".

VISÃO
"Ser uma instituição inovadora, protagonista na simplificação dos sistemas tributário e aduaneiro, reconhecida pela efetividade na gestão tributária e pela segurança e agilidade no comércio exterior, contribuindo para a qualidade do ambiente de negócios e a competitividade do país."

OBJETIVOS DE RESULTADO
- Garantir a arrecadação necessária ao Estado, com eficiência e aprimoramento do sistema tributário
- Garantir segurança e agilidade no fluxo internacional de bens, mercadorias e viajantes
- Contribuir para a melhoria do ambiente de negócios e da competitividade do País

OBJETIVOS DE PROCESSO
- Aumentar a efetividade de cobrança
- Ampliar o combate ao contrabando, ao descaminho e à sonegação fiscal
- Impulsionar a simplificação do sistema tributário
- Ampliar a aplicação da análise de riscos nos controles tributários e aduaneiros
- Incentivar o cumprimento das obrigações tributárias e aduaneiras
- Reduzir litígios, com ênfase na prevenção
- Contribuir para a facilitação do comércio internacional e do fluxo de viajantes, em articulação com os demais órgãos

OBJETIVOS DE GESTÃO E SUPORTE
- Desenvolver competências, valorizar pessoas e adequar o quadro de pessoal às necessidades institucionais
- Viabilizar recursos e otimizar sua aplicação para suprir as necessidades de infraestrutura e tecnologia
- Assegurar um modelo organizacional que favoreça a integração e a inovação nos processos
- Promover a gestão com foco em resultado

VALORES: Respeito ao cidadão – Integridade – Lealdade com a instituição – Legalidade – Profissionalismo – Transparência

FIGURA 2.12 – Mapa Estratégico RFB.
Fonte:<http://idg.receita.fazenda.gov.br/acesso-a-informacao/institucional/planejamento-estrategico>.
Acesso em: 2 jun. 2016.

Questões propostas

33. (CESPE – 2008 – TCU – Analista de controle externo) Um mapa estratégico deve contemplar os objetivos estratégicos, que poderão estar desdobrados em todas as perspectivas e temas previstos.

34. (CESPE – 2014 – TJ-CE – Técnico Judiciário – Área Administrativa) Acerca do planejamento em organizações, assinale a opção correta.

a) Nas organizações, não se estabelecem planos permanentes, dado os planos terem sempre natureza transitória.

b) As metas correspondem aos objetivos quantificados de uma organização.

c) Planejamentos operacionais são desenvolvidos pela cúpula administrativa e são realizados, conjecturalmente, a longo prazo.

d) Os planos são estruturas que envolvem macroaspectos das organizações e que originam os planejamentos.

e) Não se devem adotar objetivos quantitativos no planejamento, dado serem difíceis de mensurar na realidade.

35. (CESPE – 2016 – TCE-SC – Auditor fiscal de controle externo – administração) A respeito dos processos organizacionais de planejamento e de tomada de decisões, julgue o item que se segue. Listas de verificação, cronogramas e gráficos de Gantt podem ser utilizados para auxiliar as atividades de planejamento operacional.

36. (UFCG – 2016 – UFCG – Administrador) O planejamento estratégico é um caminho muito utilizado pelas organizações para buscar alcançar seus objetivos com eficácia. Correspondem a características comuns à etapa de implementação:

a) definição de missão, visão e valores organizacionais.

b) mapeamento das condições do ambiente interno e externo.

c) identificação inicial das oportunidades e ameaças ambientais.

d) avaliação dos resultados alcançados e definição das metas.

e) reconhecimento de que há necessidade de ajustes nas estratégias pretendidas.

37. (CESPE – 2016 – TCE-SC – Auditor fiscal de controle externo – administração) Caso a imagem de determinado órgão público seja fortemente maculada por frequentes constatações de baixo desempenho na prestação de seus serviços, a alta administração, para repensar o planejamento estratégico desse órgão, deverá definir uma nova missão institucional, identificando o propósito principal da forma mais ampla possível para maximizar a razão da existência da organização.

38. (FCC – 2015 – DPE-SP – Administrador) O planejamento dos programas e projetos visando a alcançar as estratégias de uma determinada organização é chamado de Planejamento

    a) operacional.
    b) regional.
    c) estratégico.
    d) global.
    e) tático.

39. (FUNRIO – 2016 – IF-PA – Auxiliar de administração) O processo de planejamento é constituído por uma série sequencial de etapas das quais depende seu resultado, sendo correto afirmar que a primeira delas refere-se a

    a) análise das alternativas de ação.
    b) correção de desvios de evolução.
    c) implementação do plano.
    d) definição dos objetivos.
    e) avaliação dos resultados.

40. (CESPE – 2014 – ANATEL – Analista administrativo – administração) Em qualquer processo de planejamento, independentemente da metodologia utilizada, devem ser considerados os planejamentos dos fins, de meios, organizacional, de recursos e, por fim, de implantação e controle.

41. (CESPE – 2013 – ANS – Analista administrativo – administração) Tanto o levantamento quanto a análise de informações constituem etapas do processo de planejamento.

42. (FUNRIO – 2016 – IF-PA – Auxiliar de administração) O planejamento voltado para a estabilidade e para a manutenção da situação existente, que busca

assegurar a continuidade do comportamento atual em um ambiente previsível e estável, denomina-se

a) dinâmico.

b) otimizante.

c) conservador.

d) adaptativo.

e) imperativo.

43. (COMPERVE – 2015 – UFRN – Assistente de administração) Ao conduzir o governo em suas três esferas, a administração pública desempenha uma função do processo administrativo. Nessa função, são registradas também as linhas de base das metas de gestão, cujos objetivos são acompanhados por meio de indicadores de resultado. A função do processo administrativo na qual esse registro ocorre denomina-se

a) planejamento.

b) decisão.

c) direção.

d) controle.

44. (CESPE – 2016 – TRT 8ª Região (PA e AP) – Analista judiciário – área administrativa) Assinale a opção correta a respeito de planejamento estratégico, tático e operacional.

a) Para a formulação da estratégia de uma instituição, segundo a análise SWOT, é relevante que se avalie o ambiente interno com a finalidade de se identificarem as oportunidades e as ameaças existentes dentro da organização.

b) Os planos operacionais correspondem à tradução e à interpretação das decisões estratégicas e são realizados nos níveis intermediários de uma instituição.

c) A definição da visão de uma instituição é compreendida como uma etapa do planejamento estratégico, com o foco no futuro e naquilo que se pretende alcançar no longo prazo.

d) O planejamento estratégico, para ser eficaz, deve possuir conteúdo detalhado e analítico, e a amplitude de sua abrangência deve ser orientada para cada unidade organizacional.

e) Com o detalhamento das tarefas, os planos de curto prazo para dar cobertura às atividades individuais dos servidores de um órgão são inerentes ao planejamento tático.

45. (CESPE – 2013 – INPI) – Analista de planejamento - arquivologia) O método Delfos e a análise de séries temporais constituem métodos de prospecção de futuro que se baseiam na premissa de que o futuro é continuação do passado.

46. (ESAF – 2012 – CGU – Analista de finanças e controle – Analista de planejamento – Arquivologia) Entre as diversas Escolas do Pensamento Estratégico, uma delas possui caráter abrangente e eclético, segundo o qual, para cada período ou situação de contexto, a organização deve adotar uma determinada estrutura de formação de estratégias, em função da alternância entre estabilidade e necessidade de transformação. Trata-se da

a) Escola do Design.
b) Escola Empreendedora.
c) Escola Ambiental.
d) Escola da Configuração.
e) Escola do Planejamento.

47. (FUNRIO – 2016 – IF-BA – Administrador) Mintzberg, Ahlstrand e Lampel (2000) definiram em seu livro "Safári de Estratégias" dez escolas denominando-as com o adjetivo que melhor parece captar a visão que cada uma tem no processo de estratégia. Nesse sentido, a escola que formula a estratégia como um processo emergente foi denominada de

a) Escola de Aprendizado.
b) Escola Cultural.
c) Escola de Configuração.
d) Escola de Design.
e) Escola Empreendedora.

48. (CESPE – 2014 – TC-DF – Analista de administração pública – serviços) Na análise SWOT, considera-se ameaça algo que existe internamente na organização e que pode impactar negativamente no cumprimento da missão como, por exemplo, uma equipe de colaboradores pouco capacitada.

49. (CESGRANRIO – 2012 – Petrobrás – Administrador júnior) Uma empresa que atua no segmento industrial pesado tem apresentado resultados negativos nos últimos três anos, e seus acionistas exigiram a contratação de um consultor para identificar novas estratégias de atuação e conseguir a recuperação da empresa nos próximos dois anos.

O consultor adotou um modelo para a identificação de novas estratégias utilizando a análise do ambiente externo quanto às forças que influenciam a competitividade de um segmento.

Constituem-se, no modelo adotado pelo consultor, forças que influenciam a competitividade:

a) capacidade produtiva, força de trabalho e governança corporativa.

b) capacidade produtiva, força de trabalho e governo.

c) tecnologia, capacidade produtiva e governo.

d) clientes, fornecedores, novos entrantes e produtos substitutos.

e) força de trabalho, sistema de transporte, clientes e tecnologia.

50. (FCC – 2010 – METRÔ-SP – Analista – administração) Na matriz estratégica de Ansoff, a estratégia resultante da relação do produto corrente com uma nova missão é:

a) desenvolvimento de produtos.

b) desenvolvimento de mercados.

c) penetração de mercados.

d) diversificação.

e) nicho de mercado.

51. (CESPE – 2015 – MEC – Analista de processos) O benchmarking é um recurso indicado às empresas na avaliação dos investimentos em sua infraestrutura de tecnologia da informação.

52. (CESPE – 2015 – STJ – Técnico Judiciário – Administrativa) A matriz BCG permite a análise de portfólio a partir da combinação das variáveis intituladas participação de mercado e crescimento de mercado, nas quais o produto com maior participação e maior taxa de crescimento é chamado de produto estrela e está em fase de maturação no ciclo de vida do produto.

53. (FGV – 2010 – BADESC – Analista – Administrativo) Com relação ao benchmarking, analise as afirmativas a seguir.

I. O benchmarking é uma atividade de curto prazo para evitar defasagem de dados.

II. O benchmarking enfatiza, como pressuposto, o aspecto processual.

III. O benchmarking é aplicado somente entre organizações do mesmo setor de atuação, sob pena de análises enviesadas.

Assinale:

a) se somente a afirmativa I estiver correta.

b) se somente a afirmativa II estiver correta.

c) se somente a afirmativa III estiver correta.

d) se somente as afirmativas I e II estiverem corretas.

e) se somente as afirmativas II e III estiverem corretas

54. (CESPE – 2013 – SEGER-ES – Analista Executivo – Administração) O Balanced Scorecard (BSC) é uma ferramenta com metodologia própria de apoio à gestão estratégica e, entre outros elementos, fundamenta-se em indicadores, metas e perspectivas. As perspectivas do BSC são

a) processos, financeira, material e conhecimento.

b) financeira, processos internos, clientes e aprendizagem e crescimento.

c) financeira, logística, contábil e aprendizagem e crescimento.

d) clientes, recursos humanos, recursos materiais e aprendizagem e crescimento.

e) processos externos, financeira, aprendizagem e crescimento e colaboradores.

55. (CESPE – 2013 – ANP – Analista administrativo) Nos modelos tradicionais, as medições de desempenho estão focadas na estrutura produtiva, enquanto que, no BSC, existe a preocupação de criar medidas para avaliar o desempenho do ciclo de inovação, operação e pós-venda, permeando toda a cadeia de valor da organização.

56. (CESPE – 2008 – HEMOBRÁS – Analista de gestão corporativa – analista de TI) A formulação de mapas estratégicos associada com a abordagem de BSC é, usualmente, efetuada após uma análise SWOT.

57. (CESPE – 2013 – CNJ – Técnico Judiciário – Área Administrativa) As relações de causa e efeito, presentes nas medições do BSC, possibilitam o entendimento de como os indicadores não financeiros direcionam os indicadores financeiros na organização.

58. (CESPE – 2015 – MPOG – Engenheiro) Na elaboração do plano de negócios de um empreendimento imobiliário, a análise do ambiente interno, a partir da utilização da matriz SWOT, relaciona as forças e as fraquezas vinculadas, entre outros aspectos, à experiência da empresa responsável pela obra, ao capital disponível para a execução do projeto e ao nível de treinamento da mão de obra contratada.

59. (FCC – 2015 – CNMP – Analista do CNMP – Gestão Pública) Após análises do ambiente externo e interno, determinada instituição obteve como diagnóstico a predominância de ameaças e pontos fortes. Neste tipo de ambiente, a recomendação é a adoção da Estratégia de:

a) desenvolvimento.

b) crescimento intensivo.

c) crescimento.

d) manutenção.

e) sobrevivência.

60. (CESPE – 2015 – TCU – Técnico Federal de Controle Externo) Por meio do planejamento, definem-se os objetivos e decide-se sobre os recursos e tarefas necessários para alcançá-los adequadamente, dividindo-se o trabalho, atribuindo-se responsabilidades às pessoas e estabelecendo-se mecanismos de comunicação e coordenação.

61. (FUNCAB – 2016 – ANS – Técnico Administrativo) Considerando as funções do administrador como um processo sequencial, assinale a alternativa que contém a função que dá início a esse processo.

a) Direção.

b) Organização.

c) Planejamento.

d) Coordenação.

e) Controle.

Capítulo 2 – Gabarito

Questão	Resposta
01	D
02	A
03	C
04	A
05	E
06	C
07	E
08	E
09	B
10	A
11	E
12	C
13	E
14	C
15	D
16	E
17	C
18	A
19	E
20	E
21	D
22	D
23	E
24	C
25	D
26	A
27	B
28	C
29	C
30	E
31	C

Questão	Resposta
32	D
33	C
34	B
35	C
36	E
37	E
38	E
39	D
40	C
41	C
42	C
43	A
44	C
45	E
46	D
47	A
48	E
49	D
50	B
51	C
52	E
53	B
54	B
55	C
56	C
57	C
58	C
59	D
60	E
61	C

Organização e estruturas 3

Quando se fala em organização, logo vem à mente duas possibilidades. Pensamos em formas de se organizar a bagunça do quarto e pensamos em organização como uma empresa, ou uma entidade sem fins lucrativos, certo? Neste capítulo, vamos estudar os dois sentidos de organização, seja como função da administração – que compõe o procedimento administrativo –, seja como entidade.

3.1 Organização como função

Vamos começar focando em organização como função. O que organizamos dentro de uma empresa? Será que temos de organizar os materiais? E o dinheiro? E pessoas também, certo? Como percebemos, existem vários recursos que precisam ser organizados dentro de uma empresa, sendo esses três alguns dos principais.

Agora que você já tem uma noção prática vamos começar a trabalhar de forma mais técnica, conforme as bancas cobram. Em uma definição simplista, que já resolve metade das questões, **organização significa alocar os recursos materiais, financeiros e humanos**. Alocar significa colocar no lugar certo ou destinar a um lugar com um fim específico – no caso, os objetivos da organização. **Chiavenato (2004)** propõe uma definição mais completa, para ele organização "significa o ato de organizar, estruturar e integrar os recursos e os órgãos incumbidos de sua administração e **estabelecer suas atribuições e as relações entre eles**".[24]

A gente já tem uma noção do que são os recursos, e temos também uma boa definição de organização ancorada em Chiavenato. Desses vieses, podemos depreender mais informações a respeito da organização. Lembra que temos de organizar as pessoas? Os nossos recursos humanos. Pois bem, dessa informação surgem algumas questões de prova, pois é função da organização **definir as atribuições das pessoas e as suas responsabilidades**, é com a organização que definimos o que cada um deve fazer e qual é a sua **autoridade** em termos de **hierarquia**.

---

24. CHIAVENATO, Idalberto. *Introdução à Teoria Geral da Administração*. 7. ed. Rio de Janeiro: Elsevier, 2004, p. 173.

Vamos ver como esta primeira parte vem sendo cobrada em prova e já vamos aproveitar para discutir outros pontos.

1. (FUNRIO – 2016 – IF-PA – Auxiliar em administração) Agrupar, estruturar e integrar os recursos organizacionais, dividindo o trabalho a ser feito e designando as pessoas para sua execução, constituem ações características da seguinte função administrativa

    a) controle.

    b) avaliação.

    c) planejamento.

    d) organização.

    e) revisão.

    O nosso gabarito evidentemente é a alternativa D, mas com essa questão destacamos mais um papel da função organizar, que é "**dividir os trabalhos que devem ser feitos**". Com isso, pontuamos organização como alocar (distribuir) os recursos, dividir as tarefas, atribuir responsabilidades e grau de autoridade para os recursos humanos e fazer uma integração geral.

2. (CESPE – 2016 – TCE-SC – Auditor fiscal de controle externo – administração) Organização como função administrativa é o processo administrativo em que se define a estrutura com divisão de trabalho adequada para atingir os objetivos traçados no planejamento.

    Questão perfeita, gabarito certo. Demonstra em outras palavras a divisão das atribuições e as atrela aos objetivos.

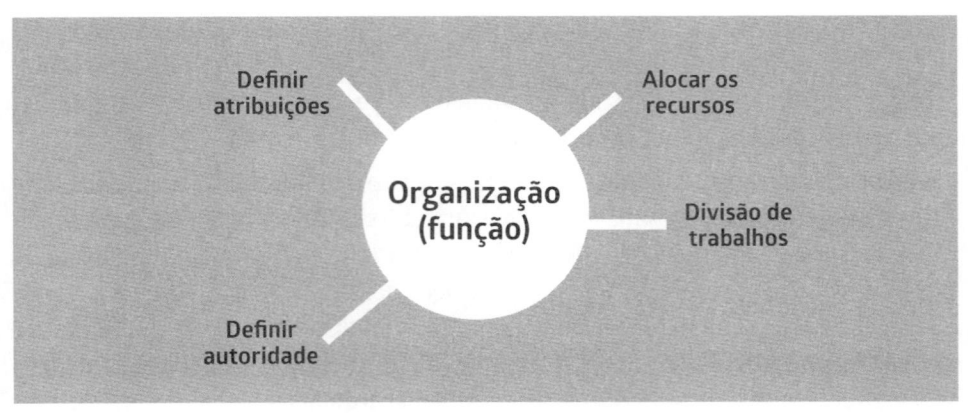

FIGURA 3.1 – Organização.

3.2 Organização como entidade

Agora vamos começar a tratar de organização como estrutura, podendo ser uma empresa, uma prefeitura, uma igreja ou qualquer outra forma de entidade social. Para ser uma organização é necessário ser composta por pessoas e seguir objetivos, no caso de empresas normais, almejar lucro, em outros casos conseguir satisfação das pessoas (clubes) ou resultados específicos. Por exemplo, uma igreja evangélica é formada por pessoas e, provavelmente, tem como objetivo evangelizar; apesar de não ter fins lucrativos, é considerada uma organização.

Existe uma divisão na forma de se enxergar a estrutura organizacional e ela é muito cobrada em provas; trata-se da organização formal e da organização informal.

Organização formal: é a organização oficial, aquela que consta no organograma (representação gráfica da estrutura hierárquica) da empresa. É a representação dos cargos e níveis hierárquicos e dos próprios departamentos (órgãos).

Organização informal: é aquela que nasce naturalmente quando, por exemplo, um funcionário joga conversa fora com outro no refeitório, ou quando marca de jogar futebol, ou seja, são as relações humanas naturais que são geradas com o convívio. Pode ser **baseada em amizades como também em inimizades**; pode ser produtiva, como quando um funcionário ajuda o outro a fazer determinada atividade, ou quando motiva um colega desanimado, todavia pode ser também muito prejudicial, por exemplo, quando uma pessoa tenta prejudicar a outra lançando fofocas, boatos ou até arrumando brigas mais diretas.

Uma organização **não pode existir sem uma estrutura informal** porque ela nasce naturalmente, porém pode tentar compreendê-la e, na medida do possível, trabalhar em cima disso.

3. (CESPE – 2013 – TCE-RS – Oficial de controle externo) São duas as formatações da estrutura organizacional: a informal, resultante das relações sociais e pessoais, e a formal, que dá ênfase a posições em termos de autoridade e responsabilidades alocadas nas unidades organizacionais. Ambas devem ser consideradas no estudo e análise da estrutura organizacional.

Essa questão é perfeita. Se, por um lado, a estrutura formal enfatiza posições e atribuições, por outro a estrutura informal enfatiza as relações sociais e pessoais. Como bem colocado na questão, ambas as estruturas devem ser consideradas. Gabarito correto.

Agora vamos nos aprofundar em alguns temas – para Chiavenato princípios – da organização formal.

3.3 Divisão de trabalho

A ideia aqui é simples, é decompor um processo complexo em tarefas menores e as dividir entre os funcionários. Imagine como seria se uma única pessoa fosse responsável por todo o processo de criar um carro, seria bem mais demorado, e a chance de conter falhas maior. O princípio da divisão de trabalho versa sobre isso, o artesanato começou a ser trocado pelas máquinas, e os processos de fabricação começaram a ser divididos em tarefas especializadas.

3.4 Especialização

Este princípio decorre diretamente da divisão de trabalhos. A ideia é cada subordinado da empresa ter funções especializadas, isso é, ser responsável por processos específicos. No exemplo do carro, poderíamos pensar em um funcionário especializado no processo de colocação das rodas.

No início do livro, pontuamos o fenômeno da **superespecialização** como crítica da teoria científica. Vamos relembrar! Quando um funcionário é altamente especializado em fazer alguma tarefa e continua sempre fazendo a mesma coisa, em algum momento ele tende a perder o "prazer" e a render menos. A ideia da organização deve ser buscar formas de quebrar a monotonia, seja por meio de rodízio de funções, seja pela atribuição de novos desafios ao funcionário.

3.5 Hierarquia, autoridade e responsabilidade

Com a divisão de trabalhos e as suas respectivas especializações em diversas funções, surge a necessidade de se criar uma **cadeia de comando,** oriunda do **princípio escalar**. A ideia aqui é dividir a organização em níveis de hierarquia (ou camadas), sendo possível identificar as funções dos indivíduos e a linha de autoridade formal. Com isso, podemos concluir que a cadeia de comando é a demonstração hierárquica de uma empresa (ou outra organização) em que se pode perceber os papéis das pessoas e para quem elas respondem.

No passado, a cadeia de comando estava intimamente associada ao princípio da **unidade de comando**, oriunda da teoria clássica, porém, cada vez mais, esse princípio não vem sendo obedecido. Para ele, as pessoas de uma organização devem responder a um único chefe, ocorre que nas organizações mais atuais as cadeias de comando são mudadas substancialmente, e nem sempre determinado grupo de pessoas obedece a um único chefe. Por exemplo, algum funcionário pode ter que se reportar a um diretor de produção e a um diretor da sua filial, caso ele trabalhe em Portugal, por exemplo. Logo adiante discutiremos isso de maneira mais clara.

Agora vamos falar de **autoridade**. É uma forma de poder e está diretamente relacionada ao cargo, à estrutura e não ao ser humano. Grave isso, é muito importante. Outra característica importante da autoridade é que ela deriva de regras e normas, por isso deve ser aceita a todos os subordinados. Um ponto importante é que toda autoridade é uma forma de poder, porém nem toda forma de poder é uma autoridade, conforme explica **Sobral e Peci (2008).** Isso é verdade porque "o conceito de poder é mais abrangente que o conceito de autoridade, visto que pessoas sem nenhuma autoridade têm, às vezes, muito poder na organização".[25] Lembra-se da **estrutura informal**? Dela surgem lideranças poderosas.

Se por um lado, em decorrência de um posicionamento, nasce a autoridade e reflete poder, por outro, surge o que chamamos de **responsabilidade**. Quanto maior a autoridade, maior é a responsabilidade. São proporcionais. Responsabilidade é o dever de desempenhar certas atribuições que lhe conferem. No campo das empresas, quando um funcionário é contratado, ele concorda em executar determinadas tarefas e atividades (suas responsabilidades) em troca de benefícios e salários.

Existe ainda uma classificação que divide a autoridade em duas vertentes.

Autoridade de linha: são as gerências responsáveis diretamente pelo alcance dos objetivos da organização. Normalmente, em uma indústria, seriam os departamentos de produção e de vendas.

Autoridade de assessoria: são responsáveis por aconselhar e dar assistência para as áreas específicas, não contribuem diretamente para o alcance dos objetivos e sim indiretamente. Normalmente, em uma indústria, seriam os departamentos jurídicos e de recursos humanos.

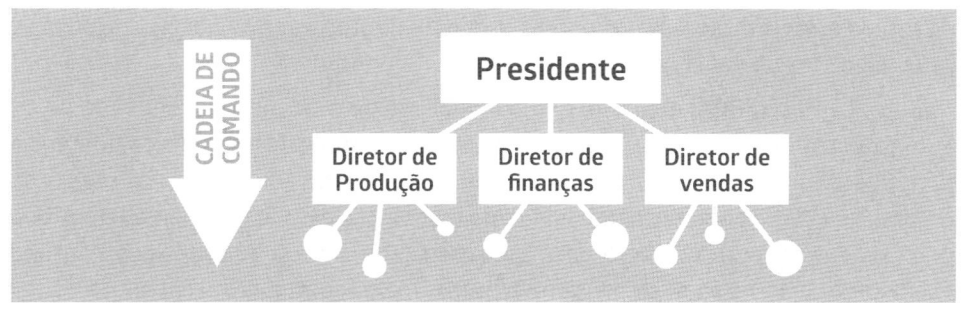

FIGURA 3.2 – Cadeia de comando.

Na figura acima, podemos visualizar o desenho hierárquico de uma empresa. Conforme demonstra a seta, a cadeia de comando funciona de cima para baixo,

---

25. SOBRAL, Felipe; PECI, Alketa. *Administração:* Teoria e prática no contexto brasileiro. São Paulo: Pearson Prentice Hall, 2008, p. 177.

logo, o diretor de produção tem autoridade sobre toda a sua equipe (simbolizada por bolinhas), assim como os outros diretores também têm pelas suas equipes (que podem incluir gerências, departamentos e funcionários gerais). Por outro lado, nesse desenho hipotético, temos o presidente, que, por estar no topo mais alto da cadeia de comando, possui autoridade legítima sobre toda a organização.

3.6 Amplitude de controle

Este é um assunto que já apareceu boas vezes em concursos já que requer atenção, apesar de ser simples, pode gerar confusão. Também chamado de **amplitude administrativa**, esse conceito está relacionado com a quantidade de subordinados que cada chefia possui. **Quanto maior a quantidade de subordinados, maior é a amplitude de controle** da chefia e por isso menos administradores são necessários. Ora, se você tem muitos subalternos, o seu controle é amplo e chega mais longe. Olhando pelo lado inverso, quando uma **chefia possui poucos funcionários, a sua amplitude de controle é baixa**, logo a organização necessita de mais administradores. Em decorrência dessa lógica, surge uma classificação doutrinária para as estruturas quanto à sua amplitude de controle.

Estrutura vertical ou aguda: estruturas de perfil agudo são aquelas que possuem poucos subordinados para cada chefia, e por isso necessitam de vários níveis hierárquicos e administradores.

Estrutura horizontal ou achatada: estruturas de perfil achatado são aquelas que possuem muitos subordinados por chefia, e por isso necessitam de menos administradores e menos níveis hierárquicos. É uma tendência atual, haja vista a maior flexibilidade das organizações, tem sido conveniente aumentar a amplitude de controle. Além disso, essa compressão deixa a diretoria geral da organização mais próxima dos seus departamentos e setores.

Sobral e Peci (2008) explicam que a amplitude de controle ideal depende de alguns fatores e citam alguns exemplos como: complexidade do trabalho, competência e motivação – tanto do gestor quanto dos subordinados –, conjunto de regras da empresa e estabilidade ou instabilidade do mercado. Dessa forma, percebemos que não existe uma receita de bolo, para cada caso cabe um estudo específico, contudo existe uma tendência em se adotar estruturas mais achatadas.

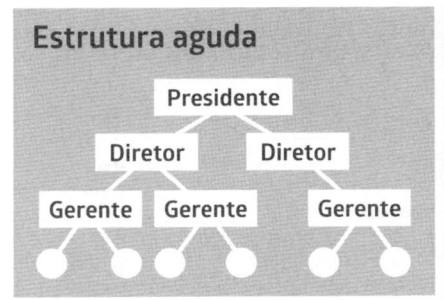

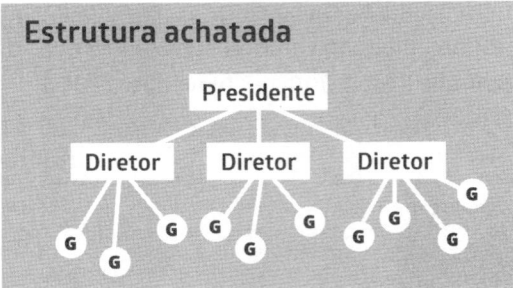

FIGURA 3.3 – Estrutura aguda e achatada.

A imagem da estrutura aguda representa uma organização desenhada com muitos níveis hierárquicos e com cada chefia tendo poucos subordinados – amplitude de controle mínima. Já a imagem da estrutura achatada representa poucos níveis hierárquicos, porém com cada chefia tendo mais subordinados, isso é, amplitude de controle maior.

4. **(CESPE – 2013 – ANS – Técnico Administrativo)** Uma organização que tenha amplitude administrativa extensa apresenta cadeia de comando mais hierarquizada que uma organização de amplitude administrativa estreita.

   Nesse tipo de questão, quando não olhamos com muito cuidado, cometemos erros. Vamos lá, vamos analisá-la com calma. A questão versa sobre uma organização que tenha amplitude de controle extensa, logo, devemos inferir que cada chefia dessa organização tenha muitos subordinados, além da organização ter poucos níveis hierárquicos, conforme aprendemos anteriormente. Relembrado o conteúdo, agora fica fácil. O gabarito desta questão é errado, pois ela diz que existe uma cadeia de comando mais hierarquizada, isso é, que contenha mais níveis hierárquicos, o que é mentira, já que a estrutura que possui muitos níveis hierárquicos, a aguda, apresenta amplitude administrativa curta, pequena.

3.7 Centralização, descentralização e delegação

Centralização e descentralização possuem íntima relação com a tomada de decisão. Enquanto na centralização, a autoridade para se tomar decisões está próxima ao topo da cadeia de comando, na descentralização esta autoridade é distribuída entre os níveis hierárquicos. Vamos ser objetivos e práticos. Imaginem que uma empresa está sendo questionada pelos seus clientes quanto à qualidade de seus produtos; em uma empresa altamente centralizada, quem decidiria a respeito disso seria ou o seu presidente ou algum diretor, já numa estrutura descentralizada, o próprio departamento de gestão da qualidade poderia resolver essa questão, talvez com o apoio da presidência e/ou do departamento de produção.

No quadro abaixo estão as principais vantagens da centralização e da descentralização, assim como as suas respectivas desvantagens, conforme a literatura de **Sobral e Peci (2008)**, e **Chiavenato (2004)**.

Centralização	
Vantagens	Desvantagens
Decisões mais alinhadas com os objetivos globais da organização.	As decisões são tomadas pela cúpula, que está distante do fato e das circunstâncias.
Procedimentos mais padronizados.	Os administradores possuem pouco contato com as pessoas envolvidas.
Maior controle no desempenho da organização.	Desestimula a criatividade e inovação
Redução de risco por falta de informação passada até um subordinado.	Implementação das decisões mais lenta e com um custo operacional maior.
Descentralização	
Vantagens	Desvantagens
Os tomadores de decisão estão mais próximos do fato e da circunstância.	Maior dificuldade em localizar os responsáveis por decisões erradas.
Maior motivação dos funcionários, além de estimular a criatividade e a inovação.	Perda da uniformidade das decisões e dos procedimentos.
Maior agilidade e flexibilidade na tomada de decisões.	Dificuldade de controlar e avaliar o desempenho da organização
Maior facilidade de controlar e avaliar o desempenho das unidades e dos gerentes.	Tendência para o desperdício e duplicação de atos.

Além das vantagens e desvantagens, existem outros pontos que são cobrados em provas. Por exemplo, anteriormente, a **descentralização** era recomendada para cenários de estabilidade, hoje já se pensa de outra forma, recomenda-se para cenários de **instabilidade e de mudanças**, já que o ambiente descentralizado é mais propício à inovação e criatividade, além de ser mais ágil em termos de adaptação. Outro tópico que pode ser cobrado em provas, também ligado à descentralização, é o aumento de esforços relativos à mesma situação, isto acontece quando mais de uma pessoa quer resolver o mesmo problema ou um idêntico, já que existe uma maior divisão de autoridade. Imagine: Sicrano foi até uma loja de vendas em dois horários diferentes e perguntou sobre a possibilidade de desconto em um produto. O funcionário X falou que poderia dar um desconto de 10%, já o funcionário Y falou que não poderia dar desconto. Isso ocorre porque o poder de decisão sobre o desconto foi descentralizado para ambos os funcionários, e não existe um padrão de resposta, existindo no máximo uma margem de discricionariedade.

3.8 Departamentalização

Se por um lado, a especialização vertical está relacionada a uma melhora de supervisão e chefia, por outro a **especialização horizontal está relacionada a uma melhora de atividades e conhecimentos**, esta especialização horizontal é chamada também de **processo funcional, e departamentalização**. Segundo **Chiavenato (2004)**, a departamentalização é regida pelo princípio da **homogeneidade**, isso significa dizer que as funções similares devem ser designadas a unidades específicas com base no seu conteúdo, tendo como objetivo alcançar operações mais eficientes. Na prática, é a ideia de correlacionar as funções com as respectivas especialidades. Exemplo: no departamento de cadeia de suprimentos, podemos encontrar um setor responsável por elaborar contratados e outro por fazer as compras.

Conforme **Chiavenato (2004)**, "na medida em que ocorre a especialização do trabalho, a organização passa a necessitar de coordenação dessas diferentes atividades, agrupando-as em unidades maiores"[26] e é assim que são gerados os departamentos, decorrentes dessa especialização horizontal. **Sobral e Peci (2008)** explicam o departamento como "uma unidade de trabalho que agrega um conjunto de tarefas semelhantes ou coerentes entre si sob a direção de um administrador".[27]

Vamos ver como esta parte introdutória já foi cobrada.

5. (CESPE – 2012 – ANAC – Analista administrativo) Na departamentalização, são aplicados critérios como amplitude administrativa, grau de especialização do trabalho, níveis hierárquicos da cadeia de comando, entre outros.

    A questão está correta. Quando se fala em amplitude administrativa, está se pensando em quantos subordinados cada chefe terá e, por consequência, quantas pessoas terão em cada departamento. Grau de especialização é um critério basilar na hora de decidir sobre a existência de novos departamentos. Níveis hierárquicos também devem ser estudados, pois a estrutura da organização deve ser pensada na hora da departamentalização, por uma questão de custos, gestão de comunicação e outros.

    Agora vamos avançar e estudar os tipos mais comuns de departamentalizações.

---

26. CHIAVENATO, Idalberto. *Introdução à Teoria Geral da Administração*. 7. ed. Rio de Janeiro: Elsevier, 2004, p. 209.
27. SOBRAL, Felipe; PECI, Alketa. *Administração:* Teoria e prática no contexto brasileiro. São Paulo: Pearson Prentice Hall, 2008, p. 172.

3.9 Departamentalização por funções

É a departamentalização mais comum que existe. **As pessoas e as tarefas são agrupadas de acordo com as funções**. Por exemplo: departamento de produção, departamento de marketing, departamento de finanças e departamento logístico.

A **departamentalização funcional** pode ser representada pela estrutura tradicional baseada em funções, conforme segue.

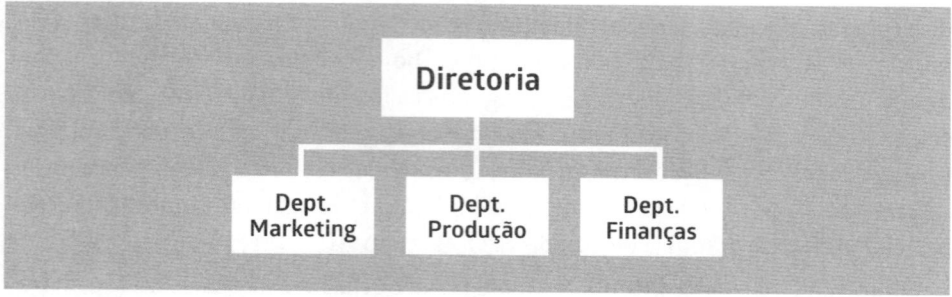

FIGURA 3.4 – Departamentalização por funções.

Entre as principais vantagens dessa departamentalização, destacam-se: agrupa especialistas de assuntos comuns em um mesmo setor, o que garante uma melhor utilização de suas habilidades técnicas (**princípio da especialização ocupacional**); facilita o treinamento das pessoas; permite economia escalar devido a uma melhor utilização dos recursos tanto humanos quanto materiais; é indicado para um ambiente estável – de poucas mudanças – inclusive dentro da própria organização, no sentido de trabalhar com produtos ou serviços que sofram poucas alterações ou nenhuma.

Já como desvantagens, podemos pensar no excessivo foco em suas funções. Isto significa dizer que, muitas vezes, nesse tipo de organização, as pessoas colocam objetivos específicos em detrimento dos objetivos globais, faltando alinhamento. Outra desvantagem dessa departamentalização é a falta de cooperação entre departamentos. Por exemplo: em uma empresa pública, as compras são feitas por licitações e existe um departamento específico para isso. Esse departamento precisa se comunicar com outros departamentos, para assim poder atendê-los. É comum alguns setores de empresas públicas criarem barreiras dificultando o acesso às informações, talvez por querer esconder conhecimentos ou algo do tipo. Por fim, a departamentalização funcional é inadequada para cenários de incerteza, pois se acredita que cada departamento é altamente especializado e tem uma visão muito estreita do lado externo – não enxergam muito além de seus departamentos. Olha como este assunto já foi cobrado bem recentemente!

6. (CESPE – 2016 – TCE-SC – Auditor fiscal de controle externo – administração) Caso decida departamentalizar sua organização para aumentar a cooperação interdepartamental e diminuir os níveis de especificidade do trabalho, o gestor deverá adotar, primordialmente, a departamentalização funcional, na qual cada departamento corresponde a uma função principal.

Agora ficou fácil, certo? A cooperação interdepartamental não é uma característica vantajosa para a departamentalização por funções e sim uma desvantagem. Apesar de cada departamento corresponder a uma função principal, na divisão de departamentos por funções, normalmente, existe uma falta de cooperação entre os departamentos devido à ênfase nas suas próprias especialidades (intradepartamental). Além disso, a departamentalização por funções aumentaria o nível de especificidades, e não diminuiria. Gabarito errado.

3.10 Departamentalização por produto ou serviços

Esta departamentalização ocorre de maneira bem lógica, a organização divide os seus departamentos conforme o núcleo dos produtos ou serviços que vendem. Por exemplo: Uma empresa que vende diferentes tipos de automóveis, como motos, carros e helicópteros, poderia dividir os seus departamentos conforme os produtos que vendem.

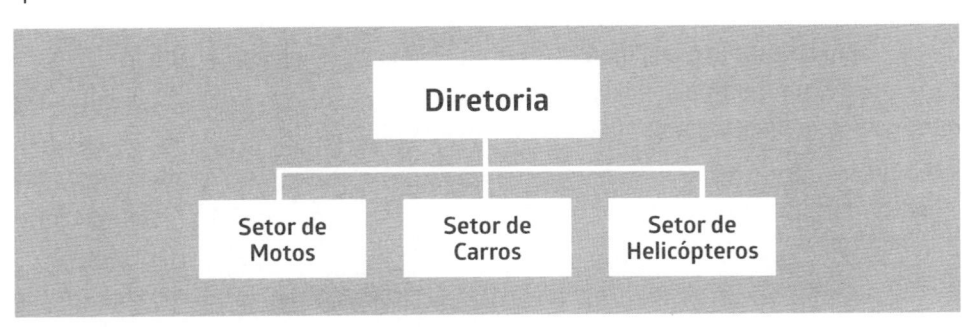

```
                    Diretoria
                   /    |    \
          Setor de   Setor de   Setor de
           Motos      Carros   Helicópteros
```

FIGURA 3.5 – Departamentalização por produtos.

Esse tipo de departamentalização é recomendado para organizações que trabalhem com produtos ou serviços muito diferentes, e que o agrupamento facilite a gestão da empresa. Como vantagens, esse modelo de departamentalização traz a flexibilidade, a inovação e a boa coordenação entre departamentos. Por tudo isso, é recomendado para ambientes instáveis e de mudanças. Como desvantagens, percebe-se um aumento do custo operacional, já que os especialistas são espalhados pela empresa e existe uma necessidade de duplicação de recursos. Por exemplo: em vez de um único engenheiro de produção (modelo por funções), é necessário um para cada produto.

7. (CESPE – 2013 – ANP – Analista administrativo) A departamentalização por produto dificulta a avaliação, realizada pela gerência, do desempenho da unidade de trabalho, devido à separação das diferentes divisões dos produtos.

Ocorre exatamente o contrário. A departamentalização por produto torna mais clara a avaliação de desempenho das unidades de trabalho (departamentos), haja vista que estão bem definidos os departamentos em produtos. A questão estaria certa se falasse que dificulta a avaliação da **organização como um todo**, pois o foco é tão grande nos produtos que não se enxerga com clareza os objetivos organizacionais. Gabarito errado.

3.11 Departamentalização geográfica

Não tão raro, também é chamada de departamentalização territorial ou regionalizada. O lance dessa divisão é agrupar as características de cada região em um departamento, por isso é recomendada para organizações que trabalhem com grandes áreas geográficas, pois se torna conveniente separar as singularidades que cada região tem e agrupar esforços para trabalhar em cima dessas características. Por exemplo: o Brasil é um país enorme, e as diferenças e gostos culturais são evidentes. Torna-se interessante para uma grife de modas separar os seus departamentos por regiões, como: sudeste, norte, sul, nordeste e assim por diante. É muito provável que os gostos das pessoas que moram no sul do país não seja os mesmo dos que moram na região nordeste, até por uma questão de clima e temperatura. Outro exemplo seria o de uma multinacional que atua em diversos países, torna-se igualmente interessante a divisão geográfica nesse tipo de organização.

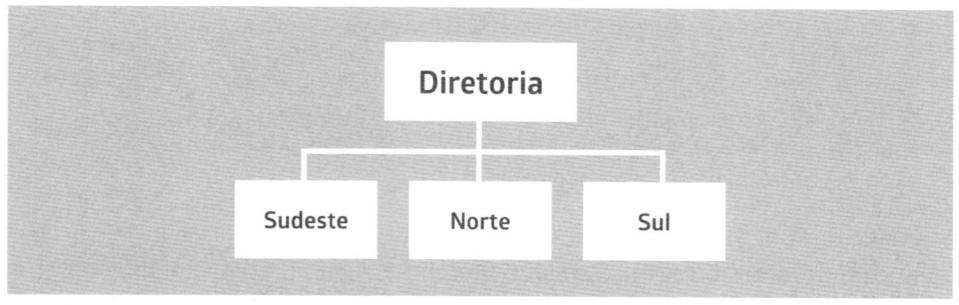

FIGURA 3.6 – Departamentalização geográfica.

As principais vantagens desse tipo de departamentalização estão ligadas a um ajuste entre o que o mercado de determinada região pede e o que a organização tem para oferecer. Como desvantagem, o enfoque excessivo no estudo das regiões acaba deixando de lado o procedimento administrativo da empresa como um todo.

3.12 Departamentalização por clientes

A departamentalização por clientela busca manter o seu foco nas características comuns dos clientes. A ideia desse tipo de divisão é separar cada departamento para que se possa olhar com olhos mais atenciosos determinado perfil de cliente. Por exemplo, uma editora de revistas pode separar os seus departamentos em "masculino" e "feminino" e, assim, lançar revistas mais específicas para cada perfil; ou um banco pode separar em "pessoa física", "pessoa física VIP" e "pessoa jurídica" os seus clientes.

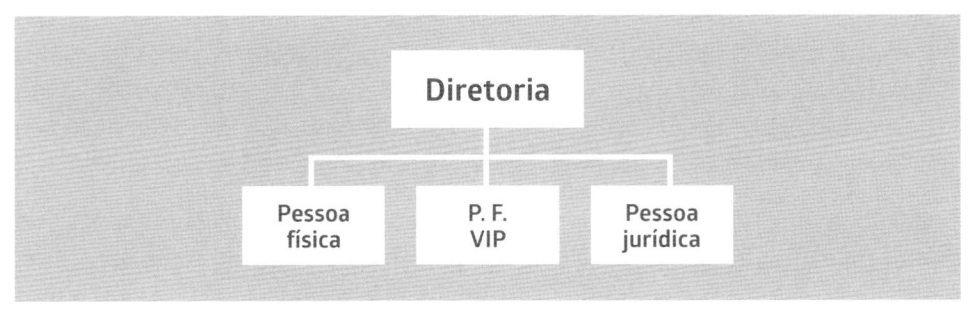

```
                    Diretoria
          ┌────────────┼────────────┐
      Pessoa          P. F.       Pessoa
      física           VIP        jurídica
```

FIGURA 3.7 – Departamentalização por clientes.

Este tipo de divisão é adequado quando a satisfação do cliente é o aspecto mais importante da organização. Como vantagem, podemos citar a concentração em atender às peculiaridades dos diferentes clientes. Como desvantagens podemos dizer que o foco obsessivo nos clientes pode deixar de lado aspectos ligados a produção, finanças, marketing, e assim detrair os objetivos estratégicos.

8. (CESPE – 2010 – MPU – Técnico Administrativo) A departamentalização por clientes atende de forma mais apropriada a organização cujos objetivos principais sejam o lucro e a produtividade.

   É exatamente isso, só que não. A ideia aqui é que o foco nos clientes deturpa os objetivos estratégicos, deixando de lado aspectos como lucratividade, produtividade, etc. Portanto, não atende de forma mais apropriada conforme diz a questão: gabarito errado.

3.13 Departamentalização por processos

Este tipo divisional de unidades de trabalho (departamentos) acontece com maior frequência em indústrias na parte produtiva. Vamos imaginar um caso prático: uma fábrica de automóveis deve ter vários processos, entre eles o de fundição de peças, o de pintura e o de acabamento, portanto, visando facilitar o andamento dos processos e geri-los com maior eficiência, a referida organização pode adotar a departamentalização por processos. O foco nesse tipo de divisão é voltado para as tecnologias, já que a ideia é desenvolver da melhor forma possível determinado processo, com o uso ou não de equipamentos.

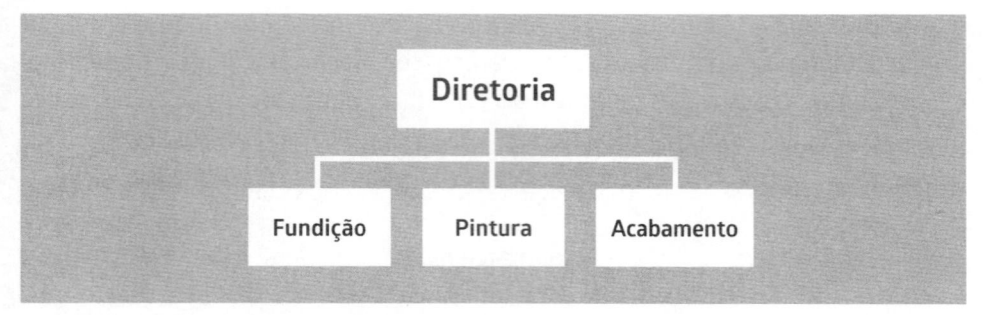

```
                    Diretoria
            ┌───────────┼───────────┐
        Fundição     Pintura    Acabamento
```

FIGURA 3.8 – Departamentalização por processos.

Um ponto fraco dessa divisão departamental é a falta de flexibilidade em casos de grande mudança tecnológica, seja num equipamento, seja num processo específico.

3.14 Departamentalização por projetos

Nessa divisão, o foco é voltado para a separação dos projetos (seja serviço, seja produto), de acordo com a complexidade e com a concentração de recursos e tempo de trabalho que serão impregnados.

As principais empresas que utilizam esta divisão são as de grande porte, que necessitam planejar detalhadamente cada projeto que vão fazer, despendendo recursos humanos, tecnológicos e por médio ou longo tempo. Como principais desvantagens, temos o fato de que, a cada projeto, por ser único e complexo, não necessariamente haverá outros similares, podendo ocorrer paralisações de máquinas e dispensa de mão de obra, caso no próximo projeto determinada habilidade não seja mais uma necessidade. Toda essa situação pode gerar uma contínua sensação de angústia e ansiedade por parte dos funcionários, já que não dispõem de uma garantia de emprego no futuro.

9. (FCC – 2015 – DPE-PR – Administrador) Os tipos de departamentalização:

    I. agrupamento de todas as atividades de educação em uma Secretaria de Educação.

    II. agrupamento das atividades de recursos humanos em um Departamento de Recursos Humanos.

    III. agrupamento de algumas atividades de esportes e cultura em uma equipe para a realização de um campeonato.

IV. agrupamento de atividades relacionadas aos indígenas em um departamento específico.

São classificados, respectivamente, como por

a) funções, por funções, por projetos e por clientela.

b) serviços, por funções, por projetos e territorial.

c) serviços, por serviços, por processos e por clientela.

d) funções, por funções, por projetos e territorial.

e) serviços, por processos, por processos e por clientela.

Essa é uma questão interessantíssima e que vem para sedimentar todo o entendimento sobre departamentalizações até aqui. A primeira assertiva trata da divisão por funções, já que agrupam todas as atividades **específicas** de educação em um mesmo lugar. A segunda assertiva faz a mesma divisão, só que agora com os recursos humanos, portanto é também uma divisão por funções. Na terceira assertiva, o agrupamento é feito em torno do projeto de se elaborar um campeonato, portanto a departamentalização é por projetos. Já no último caso, o agrupamento é feito considerando as características da clientela, no caso, dos índios. Nosso gabarito é a letra A.

3.15 Estrutura das organizações

Agora falaremos do desenho estrutural das organizações, que muitas vezes reflete as próprias departamentalizações. A maioria das empresas começa com uma estrutura funcional, podendo migrar para divisional, quando existe a necessidade de se focar a atenção em determinadas características específicas, como geográfica, de cliente ou de produto, ou para uma estrutura matricial, quando mais de um aspecto pesa na hora de decidir a estrutura, como funções e geografia.

3.16 Estrutura linear

Este é o tipo de organização mais antiga do mundo, baseada numa linha reta de autoridade, por isso este nome. A característica marcante (que é a que será cobrada em prova) é a forte presença da **unidade de comando e a hierarquia rigidamente definida**. Para essa estrutura, a subordinação dos funcionários é muito clara. Nas demais estruturas é normal o fenômeno da delegação ou da comunicação (em algumas mais fortes do que em outras) entre os departamentos; já na estrutura linear, a linha de comando é reta e absoluta.

10. (FCC – 2012 – TRT 6ª Região (PE) – Analista judiciário – Área Administrativa) Na estrutura organizacional de tipo linear

a) a autoridade é baseada na especialização e no conhecimento, e não na hierarquia.

b) entre o superior e os subordinados existem linhas diretas e únicas de autoridade e responsabilidade.

c) os órgãos de linha estão diretamente relacionados com os objetivos vitais da empresa.

d) a hierarquia é flexível e mutável, capaz de se adaptar rapidamente às necessidades de cada projeto.

e) combinam-se a departamentalização funcional e por projeto, sacrificando o princípio da unidade de comando.

A alternativa A está errada, pois está falando da estrutura funcional, que se baseia no agrupamento de funções similares. A alternativa B é o nosso gabarito, pois na estrutura linear, a chefia – normalmente no topo da hierarquia – possui uma linha clara de autoridade perante os seus subalternos – são exemplos de estrutura linear os antigos exércitos e as igrejas da época medieval. A alternativa C está errada, pois os órgãos de linha nem sonham com os objetivos reais da empresa, eles apenas obedecem ordens. A alternativa D está errada, pois não existe essa flexibilidade, e a alternativa E está errada porque diz respeito a uma estrutura matricial, e não linear.

3.17 Estrutura funcional

É o padrão estrutural mais comum. Os departamentos são agrupados de acordo com as suas tarefas, como finanças, marketing e produção. Este tipo de estrutura é recomendado para ambientes estáveis, e o avanço promocional dos funcionários é baseado em competência funcional.

Para **Chiavenato (2004)**, nesse tipo de estrutura, "cada subordinado reporta-se a muitos superiores, simultaneamente, porém reporta-se a cada um deles somente nos assuntos da especialidade de cada um".[28] Isso significa dizer que a **autoridade é baseada em conhecimento**.

Nesse tipo de estrutura, é comum o instituto da delegação, já que as decisões podem ser descentralizadas visando uma maior especialidade do profissional que realizará a tarefa.

---

28. CHIAVENATO, Idalberto. *Introdução à Teoria Geral da Administração*. 7. ed. Rio de Janeiro: Elsevier, 2004, p. 189.

3.18 Estrutura divisional

Neste modelo, a ênfase passa a estar em outros critérios, como clientes, produtos, regiões ou processos, em vez do foco tradicional em funções. Esse tipo de estrutura funciona melhor quando o foco está nos resultados e isso significa dizer que todo recurso necessário para produzir um produto ou agradar um cliente se encontra em cada divisão. Nesse tipo de estrutura, áreas como gestão de pessoas e gestão financeira são responsáveis por servir as divisões, além de elaborar a estratégia institucional da organização. Essa forma de se organizar é recomendada para empresas maduras, que trabalhem com mercados muito diferentes, com produtos com tecnologias muito específicas, ou quando a organização se situa espalhada em áreas geográficas diferentes.

Explicando de uma maneira mais simples, a ideia é a seguinte: existem divisões específicas e elas possuem os recursos necessários, como área de marketing, logística e produção para tomarem as decisões sobre quase tudo, principalmente da área operacional. A cúpula da empresa fica responsável por questões mais estratégicas.

Ficou mais fácil de entender, certo? A imagem ilustrativa abaixo clareará por completo, mas antes vamos falar das vantagens. O que esse modelo traz de vantajoso é a facilidade de se avaliar o desempenho de cada divisão, ter uma maior proximidade com o cliente e distribuir melhor os riscos da organização, já que cada administrador é responsável por um único produto, cenário ou cliente. Já as desvantagens estão ligadas ao clima de competição entre as divisões. Imagine se uma empresa é dividida pelos produtos "Bebidas" e "Comidas", e a divisão de "comidas" esteja vendendo muito mais que a de "bebidas", naturalmente instigará um clima de competição, o que pode dar resultados benéficos ou maléficos. Outra desvantagem está associada às divisões ganharem tanta vida, que comecem a ter interesses próprios que não se coadunam com o da organização. Duplicidade de recursos também é uma desvantagem que é possível.

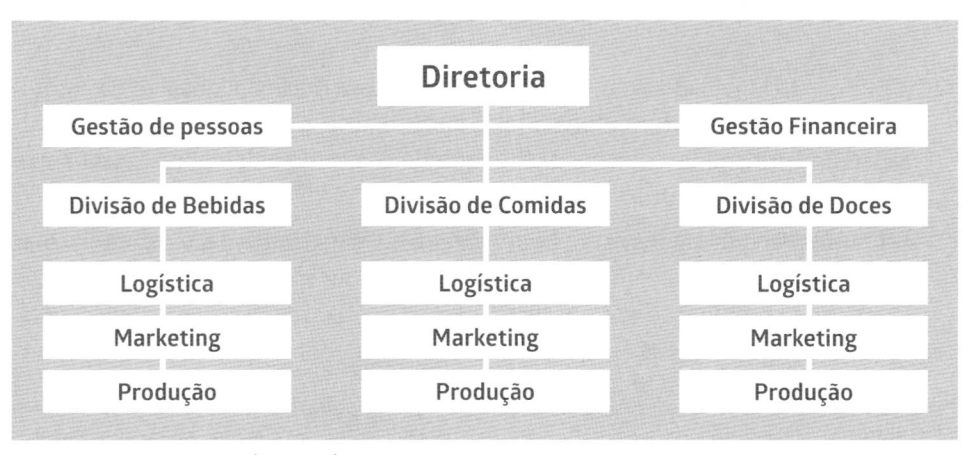

FIGURA 3.9 – Estrutura divisional.

11. (CEPSE – 2013 – FUB – Assistente em administração) As estruturas divisionais são elaboradas de acordo com a centralização dos recursos similares a cada função, otimizando os resultados das unidades.

Esta questão tenta confundir o candidato misturando a estrutura divisional com a definição da estrutura funcional. Como já aprendemos, é a estrutura funcional que reflete a departamentalização por funções, centralizando as tarefas comuns em cada departamento. Gabarito errado.

3.19 Estrutura matricial

A ideia da estrutura matricial é combinar o desenho funcional com o desenho divisional e, com isso, ganhar flexibilidade, por isso é chamado de modelo **híbrido, ou misto**. Na estrutura, os funcionários são agrupados por funções, porém são alocados em projetos ou divisões específicas, sendo assim, cada funcionário se reporta a uma dupla autoridade – chamada de **autoridade dual** (a específica do projeto e a funcional). Pense de forma prática, imagine que você é o engenheiro de determinada empresa, você compõe o quadro de funcionários da produção, porém, conforme surgem projetos, você é deslocado para determinada atividade, exemplo "equipe responsável por construir um navio" – você terá como chefia tanto o chefe da produção quanto o chefe responsável pelo projeto de criação do navio. O reflexo dessa dualidade de chefia é a **vedação ao princípio da unidade de comando**.

Chiavenato (2004) diz que a "estrutura matricial é uma espécie de remendo na velha estrutura funcional para torná-la mais ágil e flexível às mudanças. Uma espécie de turbo em um motor velho e exaurido para fazê-lo funcionar com mais velocidade".[29]

Como desvantagens, a estrutura em grade – como também é chamada – apresenta em alguns momentos conflitos quanto à dupla supervisão, além de promover em algumas situações certa confusão de atribuições.

12. (CEPSE – 2013 – FUB – Administrador) A estrutura matricial decorre da combinação entre as estruturas funcional e por projetos, possibilitando a harmonização dos princípios clássicos da unidade de comando e da equivalência entre responsabilidade e autoridade.

Esta questão tem alguns erros bem evidentes. Primeiramente, a estrutura matricial não decorre da combinação entre as estruturas funcional e por projetos (apesar da combinação ser possível) e sim da estrutura funcional e divisional. Contudo, o erro mais grotesco está localizado na parte inferior da questão, a

---

29. CHIAVENATO, Idalberto. *Introdução à Teoria Geral da Administração*. 7. ed. Rio de Janeiro: Elsevier, 2004, p. 530.

estrutura matricial não contempla os princípios da unidade de comando e da equivalência entre responsabilidade e autoridade, já que nem sempre um chefe tem a autoridade legítima necessária. Nesse tipo de estrutura, o que se nota em alguns casos é a ambiguidade na definição das atribuições. Gabarito errado.

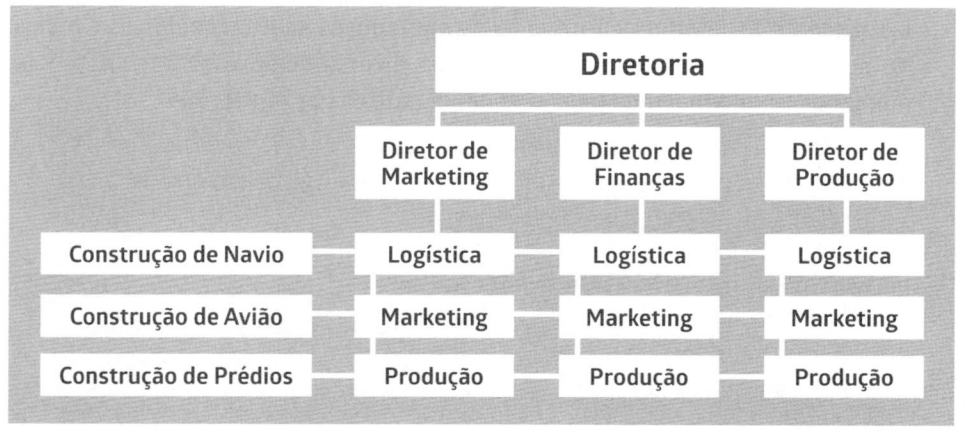

	Diretoria		
	Diretor de Marketing	Diretor de Finanças	Diretor de Produção
Construção de Navio	Logística	Logística	Logística
Construção de Avião	Marketing	Marketing	Marketing
Construção de Prédios	Produção	Produção	Produção

FIGURA 3.10 – Estrutura matricial.

A figura acima sedimenta o entendimento, representando uma estrutura matricial que funde a departamentalização por projetos com a por funções.

3.20 Estrutura em rede

Este é o tipo de estrutura mais recente em termos de desenho estrutural. Aqui é o seguinte: as funções tradicionais da empresa – como produção e marketing – são **desagregadas da organização e transferidas para unidades (ou outras organizações) separadas**, porém interligadas por meio de um escritório central. A companhia central fica responsável pelos objetivos estratégicos, já as unidades ou organizações separadas prestam serviços para o núcleo central por meio de contratos e são conectadas eletronicamente.

Este tipo de estrutura tem como vantagem o fato de se poder extrair recursos do mundo todo, podendo buscar qualidade e preço em seus produtos ou serviços. Outros pontos fortes característicos são a flexibilidade de mudança, já que poucos possuem de equipamentos e estruturas fabris, e o baixo custo administrativo, considerando que a estrutura hierárquica é mínima, com poucos níveis.

No plano negativo, as características principais são a falta de controle, pois nem sempre a diretoria e os gerentes têm controle de tudo, já que as unidades (ou as outras organizações) são desagregadas, e o perigo de uma empresa subcontratada pisar na bola, tendo em vista que a imprudência de um elo da rede pode comprometer o negócio todo. Lealdade dos empregados e formação de uma cultura consolidada também são duas características improváveis neste tipo de estrutura.

Vamos praticar!

13. (CEPSE – 2010 – MPS – Administrador) A organização em rede tem sido um instrumento facilitador na formação de monopólios sobre tecnologias e meios de produção, assim como na exclusão de diversas empresas em diferentes mercados, sendo marcada pela individualidade das organizações.

É o contrário, certo? A estrutura em rede foca nos acordos e nas parcerias, seja entre unidades próprias, seja com outras empresas. Gabarito errado.

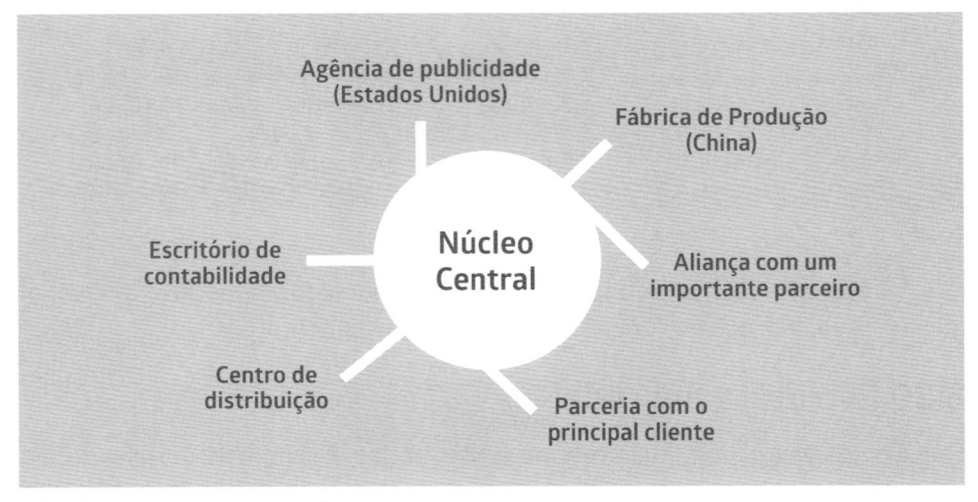

FIGURA 3.11 – Estrutura em rede.

A imagem representa uma organização que tem as suas funções principais descentralizadas. Além disso, nem todas ficam no seu país de origem. Outro ponto sintetizado na imagem são as parcerias e alianças, que podem ser feitas com clientes, fornecedores, centro de distribuição e até com concorrentes, caso a organização necessite de um serviço complementar.

3.21 Organização por equipes

É uma forma tão recente quanto a estrutura em rede. A ideia consiste em delegar autoridade e responsabilidade por todos os níveis hierárquicos, aproveitando as múltiplas habilidades do corpo humano da organização. Para entendermos melhor este modelo de organização, precisamos entender como funcionam as equipes.

Para prosseguirmos, é interessante sabermos a diferença de uma **equipe** para um **grupo**. Os grupos podem ser formais (aqueles definidos no organograma da empresa) ou informais (aqueles que nascem espontaneamente conforme acontecem relações sociais). Nos grupos, temos pessoas com habilidades diversas que trocam informações para alcançarem determinado objetivo, sendo que cada uma tem a sua própria responsabilidade. Já na equipe, as pessoas não apenas possuem diversas habilidades, como também se complementam – existe sinergia, além do mais, nas equipes a responsabilidade não é individualizada, mas sim compartilhada, a glória de um é a glória de todos, assim como o fracasso.

Agora que já entendemos a ideia de equipe, podemos estudar melhor a organização por equipes. **Chiavenato (2004)** menciona dois tipos de equipes, a funcional cruzada e a permanente.

Equipe funcional cruzada: é formada por pessoas de diferentes setores (como marketing e produção, por exemplo) e resolve problemas mutuamente. Cada pessoa deve satisfação ao seu setor (marketing, por exemplo) e à equipe, que sempre possui um líder. Imagine uma equipe formada por um analista financeiro, um chefe de TI e um engenheiro de produção, com a missão de inovar a organização. Cada indivíduo se reportaria ao seu departamento funcional e à equipe.

Equipe permanente: são formadas como se fossem departamentos. A ideia é juntar pessoas com habilidades complementares para trabalhem juntas e se reportarem a um único gerente. Normalmente, são formadas por poucas pessoas, e o seu foco é trabalhar em determinado processo, como, por exemplo, uma equipe que tomasse conta do processo de pintura de determinada fábrica de automóveis.

As principais vantagens de uma organização baseada em equipes são: custos mais baixos, já que o fato de não existir hierarquia dentro de uma equipe barateia com a não necessidade de uma ou mais gerências; maior envolvimento e comprometimento das pessoas; tempo de adaptação a mudanças menor, já que equipes dispensam aprovação hierárquica. Como desvantagens, podemos citar: maior quantidade de conflitos, maior necessidade de coordenação e descentralização acentuada e não planejada.

3.22 Downsizing (enxugamento)

"É a prática de diminuir o tamanho das organizações, por meio da redução do número de níveis hierárquicos e da quantidade de funcionários",[30] conforme **Maximiano**. A busca desse enxugamento estrutural é motivada pela **diminuição de custos e pela busca da eficiência**.

---

30. MAXIMIANO, Antonio C. Amaru. *Teoria Geral da Administração*. Edição compacta. 2. ed. São Paulo: Atlas, 2012, p. 93.

Chiavenato (2004) explica que, com a prática do downsizing, níveis intermediários são eliminados, e níveis operacionais são aproximados dos níveis institucionais (topo), **simplificando e compactando** assim a organização.

3.23 Outsourcing e Global Sourcing

Outsourcing e Global Sourcing são as formas como são chamadas as **terceirizações nacionais e internacionais**, respectivamente. Na outsourcing, o suprimento (produtos ou serviços – matéria-prima ou mão de obra) é obtido de uma empresa terceira, mas localizada no mesmo país da organização contratante. Já a global sourcing, conforme explica **Henrique Corrêa**, "ocorre quando o suprimento é obtido de uma empresa terceira, localizada fora do país do cliente". As terceirizações, em ambos os casos, ocorrem quando a organização prefere transferir as atividades não essenciais para terceiros, acreditando que eles possam fazer melhor e mais barato.

3.24 Configurações de organização

Existem alguns fatores que contribuem para a organização constituir um determinado design organizacional. Por exemplo, ambiente em que atua, forças e fraquezas que dispõe, tecnologia de uso, tempo de mercado e a própria estratégia que a organização pretende executar. Uma organização que atua num ambiente muito dinâmico dificilmente funcionaria com uma estrutura linear, pois é um modelo muito engessado e sem flexibilidade, por outro lado poderia funcionar bem com uma estrutura de rede ou de equipes.

Além dos fatores situacionais que podem intervir na formação de determinado design organizacional, **Mintzberg et al.** propõe 6 partes básicas, que devem existir nas organizações, e 7 configurações estruturais (designs), que são formadas conforme um conjunto de atributos – partes básicas da organização, mecanismos básicos de coordenação, tipos básicos de descentralização e fatores situacionais – exerce determinada pressão ou não.

As partes básicas são as seguintes:

Núcleo operacional: é a base da organização, composta por pessoas que praticam o trabalho básico da organização – produzir produtos e / ou prestar serviços.

Ápice estratégico: é o nível hierárquico mais alto da organização, composto por administradores responsáveis pela supervisão geral. Normalmente, todas as organizações devem ter um supervisor em tempo integral, exceto as mais simples.

Linha intermediária: neste plano encontramos os gerentes convencionais, responsáveis por comunicar as decisões do topo hierárquico com o nível operacional.

Tecnoestrutura: é onde se encontram os analistas. Fazem tarefas administrativas, como planejar e controlar, porém não se encontram dentro da hierarquia convencional.

Equipe de apoio (*staff*): são unidades auxiliares que prestam serviços internos, como serviços jurídicos, relações públicas e cozinha.

Ideologia: é a cultura organizacional que a diferencia de outras organizações. Aqui temos tradições, crenças, valores, etc.

A seguir, temos uma imagem que demonstra como funcionam as 6 partes de uma organização, dentro da propositura de **Mintzberg et al.** Repare que o ápice estratégico, a linha intermediária e o núcleo operacional estão ligados diretamente, representando uma hierarquia legítima – além disso, o núcleo operacional representa a massa, uma maior quantidade de funcionários, e o ápice estratégico um pequeno bloco. Na imagem também podemos notar que a tecnoestrutura e a equipe de apoio estão fora da cadeia hierárquica. Por fim, nessa adaptação de imagem, coloquei a ideologia representada por um círculo que circunda toda a organização, derramando a sua tradição, crenças e valores por todas as pessoas.

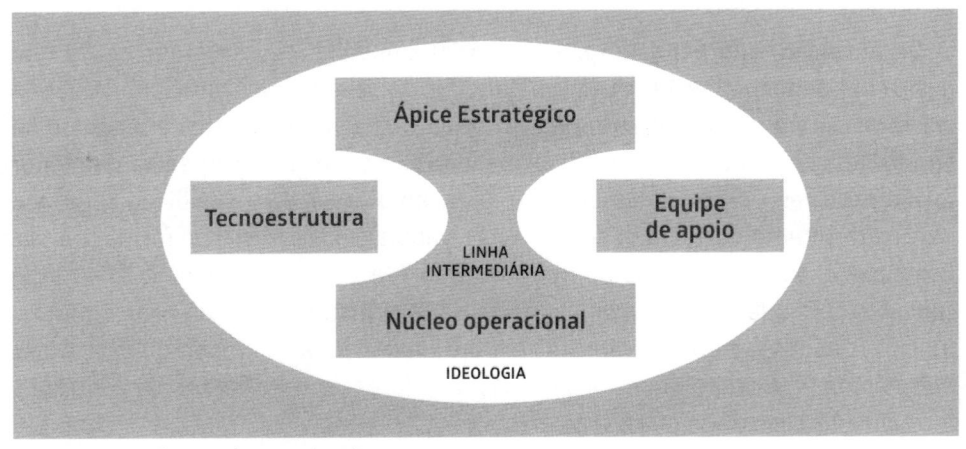

FIGURA 3.12 – Partes da organização.

Vamos ver como este assunto tem sido cobrado.

14. (Prefeitura do Rio de Janeiro – RJ – 2016 – Prefeitura RJ – Administrador) Conforme Mintzberg (2014), as configurações estruturais são divididas em cinco partes básicas. Há unidades administrativas da Secretaria Municipal de Transportes (SMTR) que asseguram os recursos (inputs) para a prestação dos serviços (outputs), transformam os recursos em serviços, prestam os serviços e fornecem apoio direto às unidades que prestam serviços. Estas são funções da parte definida como:

a) linha intermediária.

b) assessoria de apoio.

c) tecnoestrutura.

d) núcleo operacional.

Primeiramente cabe uma observação. Em alguns livros, Mintzberg não cita a ideologia como parte básica, por isso o enunciado fala de apenas cinco partes. Agora vamos ao gabarito! A alternativa A não pode ser, pois a linha intermediária está associada aos gerentes. A alternativa B não pode ser, pois a assessoria está ligada às atividades de cunho indireto, como assistência jurídica. A alternativa C não pode ser, devido ao fato de a tecnoestrutura ser o lugar dos analistas, e não da mão de obra direta, conforme diz a questão. Sendo assim, o nosso gabarito não poderia ser outro, senão a alternativa D. O núcleo operacional faz o trabalho mais básico, transformando matéria-prima (entradas) em produtos ou serviços (*outputs*) e contribuindo diretamente para os objetivos da organização.

Agora que já aprendemos sobre as partes essenciais de uma organização, vamos estudar as configurações.

Organização empreendedora/empresarial (simples): é uma organização que possui um pequeno nível estratégico para gerir o seu núcleo operacional. Quando existem, são poucos os gerentes, assim como o grupo de analistas e a equipe de apoio. Nesse tipo de organização, **formalidades e controles acontecem da menor forma possível,** obrigando assim a organização a atuar com flexibilidade, já que burocraticamente ela é um desastre. Agora vamos enxergar isso de forma prática. O melhor exemplo desse tipo de organização é a empresa pequena, como uma copiadora em que existe um único proprietário tomando conta de alguns poucos funcionários. Esse tipo de empresa tende a mudar para um modelo burocrático, pois não há proprietário que consiga gerir a empresa sem o mínimo de controle e formalidade, caso ela venha a crescer.

Organização máquina: é a representação ideal das organizações do "início da Revolução Industrial, quando as tarefas tornaram-se altamente especializadas e o trabalho tornou-se altamente padronizado".[31] Nesse tipo de organização é necessária uma grande tecnoestrutura, para que se possa manter e controlar os procedimentos padronizados. Outro ponto a se destacar é que, devido à especialização do serviço do núcleo operacional, a linha intermediária conta com uma maior quantidade de gerentes, porém o grande poder de coordenação situa-se no ápice estratégico. Como

---

31. MINTZBERG, Henry; LAMPEL, Joseph; QUINN James B., GHOSHAL, Sumantra. *O processo da estratégia:* conceitos, contextos e casos selecionados. 4. ed. Porto Alegre: Artmed, 2007, p. 196.

notamos, esta organização é altamente verticalizada e centralizada, e no campo prático podemos associá-la melhor a empresas de linha de produção em massa, que retomem ao tempo da Revolução Industrial.

Organização profissional: se o ponto-chave da organização máquina é a padronização de processos, na organização profissional é a padronização de atividades (habilidades). Nesse tipo de organização não existe uma grande quantidade de gerentes de linha intermediária nem de tecnoestrutura, já que o núcleo operacional possui bastante especialidade e autonomia. Por outro lado, existe uma larga equipe de apoio que deve servir ao núcleo operacional. Os exemplos clássicos desse modelo são as universidades e os hospitais. Nas universidades podemos pensar nos professores como núcleo operacional, e nas coordenações pedagógicas, nos psicólogos e até mesmo na cozinha do centro como equipes de apoio.

Organização diversificada: nas organizações profissionais a autonomia está localizada em pessoas, já nas organizações diversificadas está em unidades. A ideia é a seguinte: criar diferentes unidades (divisões) dentro da organização, dar a elas autonomia e cobrar em cima de resultados. Este tipo de organização aparece quando a empresa é tão grande e trabalha com produtos tão diferentes, que compensa organizar a empresa por divisões que emanam autonomia. Nesse modelo, o controle é baseado nos resultados, e para que isso aconteça, existe uma pequena tecnoestrutura de analistas para padronizar os resultados que serão cobrados dentro de um sistema de desempenho. O desenho da organização acaba ficando como a representação de um largo núcleo operacional e a sua respectiva linha intermediária, já que são necessários gerentes para cada divisão, uma pequena tecnoestrutura para padronizar os processos de controle, e o ápice estratégico e as equipes de apoio completando o design.

Organização inovadora – adhocracia: este é um modelo orgânico e altamente flexível, recomendado para ambientes dinâmicos e complexos, como nos segmentos petroquímicos, aeroespacial, consultoria global e produção de filmes, séries e novelas. Aqui a organização é baseada em uma estrutura orientada para projetos, em que agrupa especialistas que são altamente treinados em suas funções, além de carregarem grandes habilidades de coordenação – sendo que a organização também incentiva essa habilidade com mecanismos de força-tarefa e gerência integrada. Como toda a equipe é altamente especializada e orientada para atividades de coordenação, a linha de autoridade que separa o ápice estratégico do núcleo operacional deixa de existir, sendo o poder distribuído por toda a entidade. Outra parte da organização que também desaparece é a equipe de apoio, pelos mesmos motivos de especialização e coordenação. Agora vamos montar uma organização inovadora em nossa imaginação. Pense em um canal de TV que precise organizar o elenco de uma novela. Eles já possuem atores dentro da sua organização, mas também podem contratar novos do mercado. Feitas as suas escolhas, é montada a equipe que vai trabalhar no projeto da novela. Passados alguns meses ou anos, outro projeto (novela ou qualquer programa) será feito, e a organização de elenco será modificada. Com isso, percebemos que a estrutura de adhocracia é altamente flexível e dinâmica, além de contribuir para a inovação e criatividade, o que a torna extremamente competitiva.

Organização missionária: este tipo de organização ocorre quando diversas pessoas compactuam com a mesma crença e sentimento (ideologia), fatores que incentivam a reunião de pessoas que estão atrás dos mesmos objetivos. Especialidade e divisão de tarefas adequadas não existem neste modelo, pois na realidade o que se encontra é uma grande quantidade de pessoas, com pouca especialização, e tendo as tarefas divididas em decorrência de status, e não de habilidades. Os principais modelos organizacionais que exemplificam esse design organizacional são as ordens religiosas, que se baseiam em doutrinação.

Organização política: a principal característica deste design organizacional é a falta de uma pressão dominante. Nesse modelo, as organizações podem representar diferentes formas, sejam temporárias, sejam permanentes, normalmente servindo como suporte para uma transição estratégica difícil ou para aguentar a descoberta de algum escândalo político.

A seguir, um quadro sintetizando cada configuração com a sua parte e características mais importantes.

Configuração	Parte mais importante	Características
Empreendedora	Ápice estratégico	Decisões centralizadas numa única pessoa.
Máquina	Tecnoestrutura	Processos produzidos por analistas especializados.
Profissional	Núcleo operacional	Autonomia no núcleo operacional, que é especialista.
Diversificada	Linha intermediária	Gerentes de gerentes administram as divisões.
Inovadora	Equipe de apoio	Busca contínua de conhecimentos. Modelo feito para lidar com o dinamismo.
Missionária	Ideologia	Controle baseado em crenças.
Política	Não há	Conflito e mudança.

Estas foram as principais configurações de organizações propostas por **Mintzberg et al.** em seu livro **"O processo da estratégia: conceitos, contextos e casos selecionados"**. É importante salientar que, como o próprio autor sugere, "cada configuração é idealizada – uma simplificação, uma caricatura. Nenhuma organização real é sempre exatamente como essas configurações, embora algumas cheguem bem perto, outras parecem refletir combinações de várias, algumas vezes em transição de uma para outra".[32]

Para fecharmos o estudo das organizações com chave de ouro, existe uma classificação tipológica que separa as organizações em mecânicas ou orgânicas.

Organização mecânica: este é o modelo organizacional baseado na **burocracia racional de Weber**. Para este modelo de organização, as atribuições (tarefas) da empresa são altamente especializadas, a linha hierárquica é bem definida e vertical, e a tomada de decisões e o planejamento estratégico são funções exclusivas da alta cúpula. É um modelo adequado para ambientes estáveis.

Organização orgânica: neste tipo de organização existe uma contínua redistribuição de tarefas, pois os problemas ofertados pelo ambiente são mais complexos, já que esta organização situa-se em um ambiente instável e dinâmico. Aqui ninguém é especialista exclusivo de determinada função, pois os pressupostos desse modelo são a cooperação e a comunicação e não a especialização e a ordem.

Agora vamos praticar um tanto de questões.

15. (CESGRANRIO – 2012 – Liquigás – Profissional júnior – administração) Empresas de tecnologia e inovação operam em um ambiente incerto e que requer flexibilidade. Qual é a estrutura e desenho organizacional aplicado pela organização?

    a) Mecânica.

    b) Virtual.

    c) Orgânica.

    d) Burocrática.

    e) Híbrida.

Nesta questão, a banca cobra o conhecimento dos tipos de organização mecanicista e orgânico, além de outros designs. O tipo mecânico não pode ser, pois ele é adequado para ambientes estáveis, ao contrário do que diz o enunciado. A organização virtual é aquela em que os funcionários, os fornecedores e os clientes estão espalhados pelo mundo, porém unidos pela tecnologia; não é a

---

32. MINTZBERG, Henry; LAMPEL, Joseph; QUINN James B., GHOSHAL, Sumantra. *O processo da estratégia:* conceitos, contextos e casos selecionados. 4. ed. Porto Alegre: Artmed, 2007, p. 198-199.

resposta mais adequada para esta questão. A organização burocrática é aquela em que existe um maior controle e rigidez nos processos, é adequada para ambientes estáveis e não instáveis. A organização híbrida é a mistura de uma departamentalização com outra, como a matricial. O nosso gabarito é a alternativa C, organização orgânica. A organização orgânica é adequada para ambientes instáveis (incertos) e que por isso necessita de flexibilidade (os funcionários são generalistas e cooperam).

16. (CESPE – 2010 – MS – Administrador) A adhocracia prevê o compromisso dos funcionários com a qualidade.

Questão interessante porque nos permite explorar mais um ponto. Enquanto os modelos organizacionais burocráticos estão preocupados com o cumprimento de regras e regulamentos, na adhocracia o real comprometimento é com os resultados, principalmente no que diz respeito à qualidade. Gabarito correto. É normal as questões deste tema pontuarem que na adhocracia existem poucas regras e normas, o que de fato é verdade.

17. (CESPE – 2010 – MS – Administrador) Na adhocracia, padrões mensuráveis definem o desempenho mínimo.

Aqui tem outro ponto que não podemos deixar passar em branco. Na adhocracia não são desejáveis a medição e a parametrização dos resultados, pois o interessante é trabalhar com características como capacidade intelectual, número de propostas, envolvimento em projetos, etc. A ideia é o contínuo incentivo à inovação e criatividade. Outra forma que as bancas costumam induzir o candidato a erro é falar que na adhocracia as recompensas são baseadas no resultado do indivíduo do cargo, quando na verdade não são, pois além das atividades serem de intelecto e de alta criatividade, ambos de difícil mensuração, o resultado é da equipe, e não do indivíduo. Gabarito errado.

18. (FGV – 2013 – AL MT – Administrador) A configuração de uma estrutura organizacional, na qual o mecanismo de coordenação é a padronização dos outputs, denomina-se:

a) estrutura simples.

b) burocracia mecanizada.

c) forma divisionalizada.

d) adhocracia.

e) burocracia profissional.

Quando a questão fala em padronização dos *outputs*, é apenas uma maneira mais técnica de falar padronização de resultados. *Outputs* é um termo em inglês que se refere a saídas. A organização que tem como mecanismo de coordenação a padronização de resultados é a configuração diversificada, também chamada de divisionalizada. Neste modelo, existem várias unidades dentro de uma organização, e cada uma delas tem autonomia para trabalhar, porém os seus resultados são controlados e padronizados, com base numa pequena tecnoestrutura. Gabarito alternativa C.

19. (FGV – 2015 – Câmara Municipal de Caruaru – PE – Analista Legislativo – Administração) No modelo das cinco configurações das estruturas organizacionais, Mintzberg relata que a única das configurações que distribui poder diretamente aos executantes das tarefas, conferindo-lhes autonomia e livrando-os da necessidade peremptória de coordenação vigorosa, é:

a) a divisionalização.

b) a adhocracia

c) a burocracia mecanizada.

d) a burocracia sindical.

e) a burocracia profissional.

Na divisionalização, como já vimos, a autonomia situa-se nas unidades, e o mecanismo de coordenação é a padronização dos resultados (*outputs*). Na adhocracia, também chamada de organização inovadora, o principal mecanismo de coordenação é o ajuste mútuo, e a principal característica deste modelo é a busca contínua de inovação e qualidade pelas equipes. Na burocracia mecanizada (máquina) existe uma padronização de processos de trabalhos. Burocracia sindical foi invenção da banca. Nosso gabarito é, de fato, a alternativa E. Na burocracia profissional existe uma padronização de habilidades, em que a maioria do núcleo operacional é altamente qualificado, sendo apenas suportada pelas equipes de apoio (cozinha, coordenações, etc.). O exemplo mais clássico é o de professores de determinada faculdade.

20. (ESAF – 2010 – CVM – Agente executivo) O conceito de downsizing aplicado à gestão significa:

a) delegação de competências.

b) gestão do desempenho.

c) gestão por competências.

d) redução de custos.

e) redução do tamanho da empresa.

Questão tranquila, mas que nos permite praticar o conteúdo explorado. O conceito de downsizing significa a redução do tamanho da empresa. Redução de custos ou busca de eficiência e desempenho são possíveis consequências do downsizing (enxugamento) e não a sua definição. Gabarito letra E.

21. (FGV – 2014 – DPE RJ – Técnico Superior Especializado – Administração) Na década de 70, Toffler chamou atenção para o fato de que a burocracia estava se tornando menos efetiva. O autor relata a irrupção de um novo sistema organizacional, a adhocracia, que possui a seguinte característica:

a) cargos ocupados por especialistas com atribuições definidas.

b) fatores higiênicos.

c) maior confiança nas regras de procedimentos.

d) interação vertical entre superior / subordinado.

e) amplitude do controle do supervisor mais ampla.

Esta é uma questão muito boa, porém de alto grau de dificuldade, pois cobra mais de um conceito. O nosso gabarito é a letra E, mas vamos pensar! Estudamos anteriormente que a amplitude de controle é maior quando determinado supervisor tem uma quantidade maior de subordinados. Já na adhocracia, estudamos que neste tipo de organização são formadas equipes para atuarem em projetos, isso significa pensar em estruturas horizontais e não verticais. Agora vamos juntar os pontos: se um supervisor tem uma equipe com diversos funcionários, naturalmente a sua amplitude de controle é ampla. Gabarito alternativa E.

22. (FUNCAB – 2016 – ANS – Técnico Administrativo) A estrutura que combina duas formas de departamentalização, funcional com a departamentalização de produto ou projeto na mesma estrutura organizacional; é uma estrutura híbrida e apresenta duas dimensões, com gerentes funcionais e gerentes de produtos ou de projeto, é denominada:

a) organização geográfica.

b) redes.

c) cadeia.

d) organização em grade.

e) linear.

A organização que combina a departamentalização funcional com a de produto, cliente, geografia ou projeto é a organização matricial, também chamada em grade. Gabarito alternativa D.

23. (CESPE – 2014 – TC-DF – Analista de administração pública) Em uma organização centralizada, há uniformidade de diretrizes e normas.

Questão tranquila. O gabarito está correto. Como as decisões são tomadas pelo nível mais alto da estrutura, elas costumam ser alinhadas aos objetivos estratégicos e por isso mais padronizadas com os desejos da diretoria.

24. (COMPERVE – 2015 – UFRN – Assistente em administração) Alocar recursos financeiros e contratar pessoas para os projetos criados por um departamento de uma universidade pública são exemplos de:

a) controle.

b) liderança.

c) organização.

d) projeção.

Quando se fala em organizar, alocar, distribuir ou estruturar, estamos falando da função administrativa organizar. A organização tem a função de distribuir da melhor forma possível os recursos, seja financeiro, seja humano, como no caso da questão. Gabarito alternativa C.

25. (CCV-UFC – 2015 – UFC – Auxiliar em administração) São características das Equipes de Trabalho:

a) unidades de trabalho dependentes ou departamentalizadas.

b) responsabilidade por resultados individuais e generalistas.

c) unidades de Trabalho semi-autônomas ou autônomas.

d) responsabilidade por planos independentes ou setoriais.

e) unidades de trabalho de referência e controle de dados.

Finalmente, uma questão sobre equipes. A alternativa A está errada, pois neste molde, as equipes são formadas por pessoas de funções e / ou departamentos diferentes, não existe uma exclusividade funcional. A alternativa B está errada porque os resultados cobrados são coletivizados, tanto o sucesso quanto o fracasso são expandidos por toda a equipe. A alternativa C está correta, pois a abordagem por equipes é inovadora, desperta a criatividade, gera autonomia para que as habilidades de um complementem a do outro. A alternativa D está errada, não existe um plano setorial, pois a vontade da equipe prevalece. A alternativa E não é uma característica das equipes.

Questões propostas

26. (UFBA – 2014 – UFBA – Assistente em administração) Amplitude de controle expressa o número de pessoas que integram uma equipe de trabalho associado a um responsável.

27. (UFRRJ – 2015 – UFRRJ – Auxiliar em administração) Em relação às funções da administração, aquela que se refere à reunião e coordenação de recursos físicos, financeiros, de informação e outros que sejam necessários para que os objetivos de uma organização sejam atingidos é a seguinte:

a) liderança.
b) controle.
c) planejamento.
d) organização.
e) avaliação.

28. (CESPE – 2013 – CPRM – Analista em geociências – administração) A departamentalização da organização por processos consiste em administrar as funções permanentes da organização, resultando em uma estrutura vertical criada pela cadeia de comando.

29. (CESPE – 2013 – Telebrás – Técnico em Gestão de Telecomunicações – Assistente Administrativo) Estrutura formal refere-se ao conjunto ordenado de responsabilidades, autoridades e decisões das unidades de uma organização.

30. (CESPE – 2010 – MPS – Agente Administrativo) Uma organização do trabalho embasada em atividades individualizadas e especializadas elimina a possibilidade de conflitos no trabalho.

31. (CEFET-MG – 2014 – CEFET-MG – Assistente em administração) Em relação aos cinco tipos principais de processos ou funções administrativas, atribuir responsabilidades a pessoas e estabelecer mecanismos de comunicação e coordenação são decisões relativas à(ao)

a) controle.
b) execução.

c) liderança.

d) organização.

e) planejamento.

32. (FCC – 2016 – TRF – 3ª Região – Analista Judiciário – Área Administrativa) Considere que determinada organização tenha optado por agrupar suas atividades concentrando em um mesmo órgão aquelas da mesma natureza ou especialidade, contemplando, por exemplo, departamento de contabilidade, de vendas e de pessoal. O critério de departamentalização adotado pela referida organização é:

a) o funcional.

b) por produtos.

c) por clientela.

d) o estrutural.

e) o finalístico.

33. (CESPE – 2006 – ANCINE – Analista administrativo) A organização deve ser estruturada em função das pessoas ou grupos que a integram e não em função de seus objetivos.

34. (CESPE – 2012 – CONSULPLAN – TSE – Analista Judiciário – Área Administrativa) É uma DESVANTAGEM da estrutura divisional em uma organização:

a) acarretar o acúmulo de decisões no topo, sobrecarregando a hierarquia.

b) proporcionar menos inovações.

c) resultar em coordenação horizontal deficiente entre departamentos.

d) levar à má coordenação entre as linhas de produtos.

35. (FGV – 2014 – Câmara Municipal do Recife-PE – Assistente Administrativo Legislativo) Uma empresa de grande porte do setor farmacêutico redefiniu sua estratégia de negócios, expandindo-se para novos mercados e lançando novos produtos. O diretor de operações recebeu a incumbência de propor uma nova estrutura para a empresa, mais adequada à execução da estratégia recém-definida. Ao realizar essa incumbência, o diretor estará exercendo a seguinte função administrativa:

a) planejamento.

b) organização.

c) direção.

d) liderança.

e) controle.

36. (FGV – 2014 – DPE-RJ – Técnico Superior Especializado – Administração) Na organização em que Augusto trabalha foram implantados grupos de projetos para lidar com planejamento e produção de produtos específicos para solucionar problemas coorporativos. Augusto trabalha em uma organização:

    a) matricial.

    b) mecanicista.

    c) burocrática.

    d) funcional.

    e) linha-staff.

37. (CESPE – 2014 – CADE – Agente administrativo) Na estrutura matricial, as tarefas de uma organização são unificadas de acordo com os seus objetivos, gerando estruturas divisionais como, por exemplo, produtos e clientes.

38. (FCC – 2015 – CNMP – Analista do CNMP – Gestão Pública) Centralização das decisões na figura de um executivo; hierarquia mínima e pouca atividade de treinamento são características que configuram o tipo de organização:

    a) inovadora, onde o controle de pessoas é por meio de crenças e símbolos.

    b) empresarial, que possui a cúpula estratégica como parte mais importante.

    c) máquina, devido à tecnoestrutura.

    d) profissional, onde se destaca o núcleo operacional como importante.

    e) diversificada, que destaca a linha média como a parte mais importante.

39. (CESPE – 2015 – TRE-MT – Técnico Judiciário – Administrativa) A respeito das características básicas das organizações formais modernas, assinale a opção correta.

    a) As cinco configurações estruturais que as organizações podem assumir, segundo Henry Mintzberg, são: estrutura simples, burocracia mecanizada, burocracia profissional, forma divisionalizada e adhocracia.

b) Descentralização é o processo de transferência de determinado nível de autoridade de um chefe para seu subordinado, criando o correspondente compromisso pela execução da tarefa delegada.

c) Entre os modernos tipos de departamentalização, a estrutura matricial possibilita a harmonização dos princípios clássicos da unidade de comando e da equivalência entre responsabilidade e autoridade.

d) Segundo Henry Mintzberg, os mecanismos de coordenação das organizações eficazes são denominados cúpula estratégica, tecnoestrutura, assessoria de apoio, linha intermediária e núcleo operacional.

e) O design organizacional denominado Adhocracia pode ser considerado a negação da estrutura, pois evita usar todos os instrumentos formais de estruturação e minimiza a dependência de especialistas de assessoria, que são contratados quando necessário e não ficam permanentemente à disposição da organização.

40. (CESPE – 2013 – ANS – Analista administrativo) **Uma organização informal depende, em sua essência, da estrutura desenhada pela empresa, da qual resultam os relacionamentos entre os colaboradores.**

41. (CESPE – 2010 – INMETRO – Analista Executivo em Metrologia e Qualidade – Gestão Pública) **Com base nos modelos de gestão estratégica, relacionados às maneiras de organizar uma empresa e suas atividades e, consequentemente, à configuração das organizações, assinale a opção correta.**

a) Em ambientes organizacionais previsíveis e rígidos, a adhocracia proposta por Henry Mintzberg consiste em um modelo de gestão adequado.

b) Entre as microdimensões que compõem uma organização, incluem-se a tecnoestrutura, o núcleo operacional e o pessoal de apoio.

c) De acordo com Henry Mintzberg, as organizações empreendedora, maquinal, profissional, diversificada, inovadora, política e missionária apresentam configurações apoiadas em modelos de gestão.

d) O modelo denominado organizações de aprendizagem, difundido por Peter Senge, por meio de quatro critérios, consiste em um parâmetro confiável para o acompanhamento do ritmo de acumulação de conhecimento imposto pela globalização.

e) Modelos de gestão estratégica contribuem para a construção de uma postura forte e, por conseguinte, inflexível, e colaboram para o alcance das metas pelas organizações.

42 (Prefeitura do Rio de Janeiro – RJ – 2016 – Prefeitura do Rio de Janeiro – RJ – Administrador) O subsecretário de gestão da Secretaria Municipal de Transportes (SMTR) solicitou ao administrador que pensasse em uma configuração estrutural para descentralizar o poder do processo decisório, ao núcleo operacional, que é dominado por trabalhadores habilitados e por profissionais que utilizam procedimentos difíceis de aprender, embora bem definidos. Isto significa um ambiente complexo e estável; suficientemente complexo para exigir o uso de procedimentos difíceis que podem ser aprendidos apenas em programas extensivos de treinamento formal, embora estáveis o suficiente para que essas habilidades se tornem bem definidas, na verdade, padronizadas. Segundo Mintzberg (2014), tal descrição é a condição para o aparecimento da configuração chamada de:

a) estrutura simples.
b) burocracia profissional.
c) forma divisional.
d) linha-staff.

43. (CESPE – 2015 – MPOG – Técnico de nível superior, cargo 22) Entre os novos modelos de organização, segundo Mintzberg, no modelo adhocrático, a função administrativa mais importante é a pesquisa e desenvolvimento, que busca encontrar novos conhecimentos por meio de equipes multidisciplinares, diferentemente da organização profissional, que busca a aplicação padronizada do conhecimento.

44. (FEPESE – 2013 – Prefeitura de Balneário Camboriú – SC – Assistente administrativo) Em relação à Estrutura informal, é correto afirmar:

a) É a rede de relações sociais e pessoais que é estabelecida pela estrutura formal.
b) É a rede de relações sociais e pessoais requerida pela estrutura formal.
c) É a rede de relações oficiais estabelecida ou requerida pela estrutura formal.
d) É a rede de relações legais estabelecida ou requerida pela estrutura formal.
e) É a rede de relações sociais e pessoais que não é estabelecida ou requerida pela estrutura formal.

45. (FEPESE – 2013 – Prefeitura de Balneário Camboriú – SC – Assistente administrativo) A estrutura informal possui as seguintes desvantagens:

a) provoca conhecimento da realidade empresarial pelas chefias, dificuldade de controle e possibilidade de atritos entre as pessoas.

b) provoca desconhecimento da realidade empresarial pelas chefias, dificuldade de controle e possibilidade de atritos entre as pessoas.

c) provoca desconhecimento da realidade empresarial pelas chefias, facilidade de controle e possibilidade de atritos entre as pessoas.

d) provoca desconhecimento da realidade empresarial pelas chefias, dificuldade de controle e impossibilidade de atritos entre as pessoas.

e) provoca desconhecimento da realidade empresarial pelas chefias e facilidade de controle.

46. (FEPESE – 2012 – UFFS – Assistente em administração) Qual das opções abaixo melhor designa o tipo de estrutura organizacional que agrega as tarefas em diferentes unidades semi-autônomas segundo o objetivo para o qual concorrem (produtos, serviços, mercados ou clientes)?

a) Matricial.
b) Mecânica.
c) Orgânica.
d) Divisional.
e) Funcional.

47. (FGV – 2016 – IBGE – Analista/Auditoria) Para fornecer três modelos de motor para uma empresa pública, a direção da Motores X projeta triplicar os atuais 150 funcionários nos próximos três anos, adotar tecnologia de produção em massa e mudar a estratégia competitiva da empresa, de diferenciação para liderança em custos. Na opinião da direção da Motores X, todas essas transformações exigirão uma mudança na estrutura da empresa. A estrutura mais adequada à situação projetada para a Motores X é a:

a) divisional.
b) matricial.
c) funcional.
d) por projetos.
e) em rede.

48. (FEPESE – 2014 – MPE-SC – Analista do Ministério Público) O modelo de departamentalização que envolve a diferenciação e o agrupamento de atividades de acordo com as saídas e resultados (outputs) relativos a um ou vários projetos é denominado:

a) estrutura matricial.

b) estrutura funcional.

c) estrutura por projeto.

d) estrutura por clientela.

e) departamento de pessoal.

49. (FEPESE – 2014 – MPE-SC – Técnico do Ministério Público) O modelo de departamentalização que envolve a diferenciação e o agrupamento das atividades de acordo com o tipo de pessoa ou a agência para quem o trabalho é feito é denominado:

a) estrutura por clientela.

b) estrutura por projeto.

c) estrutura matricial.

d) estrutura funcional.

e) departamento de pessoal.

50. (Instituto AOCP – 2014 – UFPB – Assistente administrativo) Assinale a alternativa que apresenta o tipo de estrutura organizacional que tem por essência a combinação das formas de departamentalização funcional e de produto ou projeto na mesma estrutura organizacional.

a) Estrutura organizacional linha e staff.

b) Estrutura organizacional horizontalizada.

c) Estrutura organizacional verticalizada.

d) Estrutura organizacional matricial.

e) Estrutura organizacional informal.

Capítulo 3 – Gabarito

Questão	Resposta
01	D
02	C
03	C
04	E
05	C
06	E
07	E
08	E
09	A
10	B
11	E
12	E
13	E
14	D
15	C
16	C
17	E
18	C
19	E
20	E
21	E
22	D
23	C
24	C
25	C

Questão	Resposta
26	C
27	D
28	E
29	C
30	E
31	D
32	A
33	E
34	D
35	B
36	A
37	E
38	B
39	A
40	E
41	C
42	B
43	C
44	E
45	B
46	D
47	C
48	C
49	A
50	D

Direção e decisão

4

4.1 Dirigir!

Talvez a função precípua da direção seja, de fato, orientar de forma em que se equilibre os desejos individuais dos trabalhadores com os desejos da organização. Isso é exatamente a ideia de harmonia entre os interesses. Ora, todo funcionário, quando se coloca à disposição do mercado de trabalho, tem interesses, desejos e até sonhos. Alguns querem comprar uma casa, outros querem dar uma vida melhor para o filho, e tem quem queira escalar até o topo da empresa. Por outro lado, a organização também traça objetivos, como ser a líder do mercado, dobrar o faturamento em x tempo, comprar uma filial, criar patentes. Cabe ao administrador, quando efetua a função da direção, liderar os trabalhadores de forma em que se harmonize os desejos e haja um equilíbrio organizacional.

O processo de direção é comumente chamado de um **processo interpessoal**, pois tenta coadunar os anseios pessoais dos trabalhadores com os da organização. **Sobral e Peci (2008)** explicam que a função de direção "envolve a **orientação, a motivação, a comunicação e a liderança** dos trabalhadores, e busca compatibilizar os objetivos destes com o desempenho da organização".[33]

Principais pontos da direção:

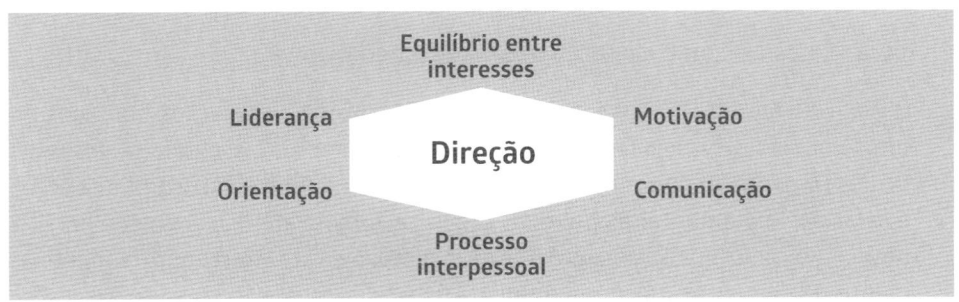

FIGURA 4.1 – Direção.

---

33. SOBRAL, Felipe; PECI, Alketa. *Administração:* Teoria e prática no contexto brasileiro. São Paulo: Pearson Prentice Hall, 2008, p. 200.

Esta função tem sido muito cobrada nas provas, de forma a tentar misturar os conceitos de direção com o de organização. Vejamos:

1. (FGV – 2016 – IBGE – Analista – Recursos materiais e logística) Ao ser promovido a gerente de operações em uma empresa de e-commerce, Ricardo recebe a tarefa de reduzir para apenas um dia o tempo que o produto demora a chegar à casa do cliente, depois de realizada a compra. Pensando nisso, traça metas de produtividade para os funcionários e realiza a compra de CDAs (Centros de Distribuição Avançada) para obter um escoamento mais rápido da produção. Segundo a conceituação das funções clássicas da organização, Ricardo, ao executar essas atividades, desempenhou em sequência as funções de:

    a) planejamento e organização.

    b) controle e direção.

    c) organização e controle.

    d) planejamento e direção.

    e) organização e direção.

    Bom, agora já conseguimos identificar facilmente que traçar as metas de produtividade é função clássica do planejamento, pois estamos criando um instrumento que norteará a empresa e servirá futuramente como peça de controle. O difícil da questão está na segunda parte, numa leitura sem o conhecimento teórico o candidato facilmente acharia que "realizar a compra de CDAs" seria função da direção, pois dá uma ideia de execução, porém o nosso gabarito é a letra A. Comprar CDAs para obter um escoamento mais rápido da produção é função da organização, pois estaremos distribuindo nossos recursos materiais (produtos, matérias-primas, equipamentos) e humanos (funcionários) de forma mais eficiente. Direção seria caso a questão falasse sobre motivação, liderança ou harmonização entre os funcionários e os objetivos da produção. Gabarito letra A.

    Agora vamos ver como a direção pode ser cobrada, de fato!

2. (FGV – 2016 – IBGE – Analista – Auditoria) O diretor de recursos humanos de uma empresa de varejo recebeu as seguintes incumbências: estabelecer metas de desempenho para os empregados da empresa; definir a estrutura de cargos e salários; implementar as políticas organizacionais relativas à gestão participativa. Ao realizar essas incumbências, o diretor estará exercendo, respectivamente, as seguintes funções administrativas:

    a) controle; planejamento; direção.

    b) planejamento; organização; direção.

    c) direção; organização; organização.

d) planejamento; planejamento; direção.

e) direção; planejamento; organização.

Como já aprendemos, o estabelecimento de metas é função do planejamento. Definir a estrutura de cargos e salários, assim como o grau de autoridade (hierarquia), é função da organização. Agora vem a parte importante! Esta última parte corresponde à função da direção porque o que está sendo implementado são políticas organizacionais de gestão **participativa**. Aqui existe toda uma ideia de harmonização, participação coletiva, equilíbrio entre objetivos. Portanto, gabarito alternativa B – planejamento, organização e direção.

Neste capítulo, comentaremos diversos institutos íntimos do conceito de direção, que são: liderança, motivação, tomada de decisão e as suas teorias.

4.2 Motivação

O que é motivação? Existem várias definições e entendimentos, mas algumas ideias-chave são consagradas. Por exemplo, a motivação das pessoas não é generalizada. Quero dizer com isso que não é porque Pedro está motivado para jogar bola que estará para jogar xadrez. Com isso, percebemos que a motivação é abstraída da vontade de despender esforços para com alguma situação.

Existem situações tanto internas (psicológicas) quanto externas (ambientais e materiais), que motivam as pessoas a despender esforços para realizar tarefas. Como dentro de uma organização a quantidade de esforço despendido e a sua respectiva qualidade impactam diretamente, como também na produtividade, o estudo da motivação é excepcional dentro do contexto organizacional, e as bancas cobram muito.

Para **Maximiano**, a motivação "indica causas ou motivos que produzem determinado comportamento, seja ele qual for. A motivação é a energia ou força que movimenta o comportamento e que tem três propriedades".[34]

Direção: o que o levou a ficar motivado? Qual é o objetivo desta motivação?

Intensidade: em uma escala de 0 a 10, o quanto você está motivado?

Permanência: por qual período de tempo você ficou motivado? 2 dias ou "2 vidas"?

Vamos ver como esta introdução a respeito da motivação já foi cobrada.

3. **(FUNCAB – 2014 – MDA – Complexidade Intelectual – Nível Superior)** Em relação à motivação, é INCORRETO afirmar que:

---

34. MAXIMIANO, Antonio C. Amaru. *Teoria Geral da Administração*. Edição compacta. 2. ed. São Paulo: Atlas, 2012, p. 187.

a) é um estado racional, em função dos ganhos financeiros.
b) se não existir não haverá comprometimento pessoal.
c) é um estado de espírito relacionado com a emoção.
d) é buscada juntamente com o aumento de lealdade.
e) é buscada juntamente com o comprometimento.

O nosso gabarito aparece logo de cara, alternativa A. A maioria dos textos sobre motivação dos autores a coloca muito mais como um estado de espírito e emoção interna do que ligada a fatores externos, como salários e premiações, embora uma corrente minoritária discorde; o fato é que ganhos financeiros exclusivamente não motivam suficientemente uma pessoa, pois a permanência motivacional não será extensa. As alternativas trazem uma grade conceitual bem ajustada, conforme determinado funcionário está motivado, o seu comprometimento e a sua lealdade com o compromisso assumido tendem a aumentar.

Agora vamos avançar o conhecimento. Existem diversas teorias que tentam explicar o **processo motivacional** e o que **produz a motivação**. As teorias que tentam explicar como o processo motivacional ocorre são chamadas de **teorias de processo**, ao passo que as teorias que tentam explicar quais fatores estimulam as pessoas são chamadas de **teorias de conteúdo**.

4.3 Teorias de conteúdo

Neste grupo de teorias, o enfoque está nas coisas e / ou situações que atendam às necessidades internas dos trabalhadores – alguns autores também consideram as externas – e que assim os motivem. Por exemplo, determinado grupo de funcionários pode sentir-se melhor trabalhando em sua cidade natal, por outro lado, outro grupo pode preferir trabalhar viajando e conhecendo outros países.

Entre as principais críticas relacionadas à **abordagem de conteúdo**, podemos citar que essas teorias não levaram em consideração a forma como cada indivíduo se comporta mediante a sua maior necessidade. Por exemplo, dentro de uma empresa podem existir funcionários com necessidade de organização, porém o ambiente organizado para determinado funcionário pode ser considerado desorganizado para outro que também tenha necessidade de organização, porém entendida por outro viés.

Agora iremos esmiuçar as principais teorias desse agrupamento: **Teoria da Hierarquia das Necessidades** – Maslow; **Teoria dos Dois Fatores** – Herzberg; **Teoria ERC** – Alderfer; **Teoria X e Y** – McGregor e **Teoria das Três Necessidades** – McClelland. Em síntese:

Abordagem de Conteúdo	
Teoria	**Autor**
Teoria da Hierarquia das Necessidades	Maslow
Teoria dos Dois Fatores	Herzberg
Teoria ERC	Alderfer
Teoria X e Y	McGregor
Teoria das Três Necessidades	McClelland

4.4 Teoria da hierarquia das necessidades

Essa costuma ser aquela teoria que até quem nunca ouviu falar em administração, já escutou falar! É a famosa pirâmide das necessidades humanas proposta por **Abraham Maslow**, psicólogo de renome.

Para Maslow, o ser humano tem **necessidades hierarquizadas**, isto significa dizer que existe uma ordem do que ele mais precisa em cada estágio da vida dele – em relação à empresa. É exatamente nessa ideia que está o pulo de gato. A maioria das questões vai perguntar se determinada pessoa pode pular algumas etapas da pirâmide que veremos, e a resposta é não, pois para Maslow o indivíduo só pode alcançar o topo da pirâmide **depois de ter passado por cada nível e em ordem**. As necessidades propostas, em ordem, são: **fisiológicas, de segurança, sociais, estima e autoestima ou autorrealização**.

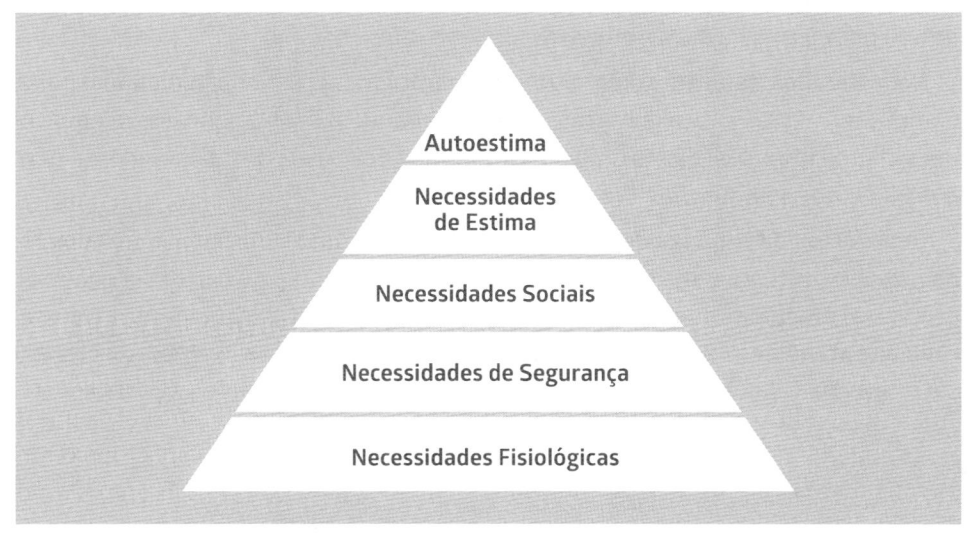

FIGURA 4.2 – Pirâmide de Maslow.

Necessidades fisiológicas: encontram-se as necessidades mais básicas e importantes do ser humano, como de alimentar-se, de repousar, de não passar frio e, para alguns, até de desejo sexual. A necessidade de um salário mínimo pode ser levada em consideração também, pois cabe associação com o dinheiro necessário para comer, beber água, comprar cobertor. Essas necessidades refletem à mera necessidade de sobrevivência e dos nossos desejos mais instintivos, tratam-se de necessidades basilares, que não podemos nos desvincular.

Necessidades de segurança: as palavras-chave que definem esse bloco de necessidades são **estabilidade e proteção em relação à sua integridade física e emocional**. Nesse plano, o cidadão está preocupado em não ser demitido de surpresa e também de não sofrer com o trabalho demasiadamente perigoso ou exaustivo. Um bom exemplo de uma necessidade de segurança é do professor de ensino técnico que trabalha para o Estado por meio de contrato determinado (prazo de validade) e fica na luta insaciável por uma aprovação em concurso público (contrato indeterminado), podendo dar aulas enquanto existirem.

Necessidades sociais: trata-se das necessidades de **interação e aceitação**. É a ideia de gerar amizades e/ou amores. Os exemplos são os mais diversos, como não sofrer *bullying* do grupo, descobrir uma nova amizade fiel, ou simplesmente se sentir à vontade para interagir com os parceiros de trabalho, seja para falar de futebol ou de algo mais específico ao desempenho funcional.

Necessidades de estima: neste nível, o ser humano está preocupado com questões ligadas ao reconhecimento pessoal, como **status, respeito e aprovação da sociedade**. Ele sente a necessidade de ter mais independência, liberdade, confiança, pois acredita no seu potencial e na sua criatividade.

Necessidades de autoestima (autorrealização): desafios, oportunidades, autonomia plena. Essas são as palavras de ordem quando o ser humano chega no nível mais alto da pirâmide. Existe uma busca contínua por novos desafios, a ideia é usar o máximo do seu potencial.

Uma necessidade não pode ser alcançada se uma de nível inferior não for cumprida primeiro. Nas palavras de **Maximiano**, "uma necessidade de categoria qualquer precisa ser atendida antes que a necessidade de uma categoria seguinte se manifeste. Uma vez atendida, a necessidade perde sua força motivadora**, e a pessoa passa a ser motivada pela ordem seguinte de necessidades".[35] Agora vamos à prática!

---

35. MAXIMIANO, Antonio C. Amaru. *Teoria Geral da Administração*. Edição compacta. 2. ed. São Paulo: Atlas, 2012, p. 196.

4. (FCC – 2008 – MPE-RS – Assessor – Área de administração) Segundo a teoria da hierarquia das necessidades de Maslow é INCORRETO dizer:

a) toda pessoa orienta seu comportamento a partir de mais que um único tipo de motivação.

b) apenas algumas pessoas alcançam a satisfação das necessidades localizadas no topo da pirâmide.

c) a satisfação de um nível inferior de necessidades não é obrigatória para que surja imediatamente um nível mais elevado no comportamento.

d) as necessidades fundamentais podem ser expressas por diferentes tipos de comportamento.

e) toda necessidade primária não atendida passa a ser considerada uma ameaça psicológica.

A alternativa A está correta, pois existem níveis hierárquicos motivacionais diferentes relacionados à fase da vida do ser humano. A alternativa B também está correta, pois nem todo indivíduo consegue chegar no ápice de suas realizações, a ponto de dizer que consegue exprimir o máximo de seu potencial. Cabe uma ressalva, pois estar no topo da pirâmide não significa estar no topo da empresa. Às vezes, a pessoa pode ser hippie, ter a alimentação que deseja, se sentir segura na vida, possuir grandes amizades e amores, se sentir reconhecida dentro do seu universo e acreditar que está contribuindo para o mundo da melhor maneira possível. A alternativa C está incorreta e é o nosso gabarito, é necessário alcançar uma necessidade de cada vez até chegar ao topo piramidal. Como posso buscar reconhecimento, se sinto fome, frio e fraqueza? A alternativa D está correta, pois cada necessidade é categorizada, e a alternativa E também está correta. Por exemplo: para **Chiavenato (2004)**, pessoas que estão frustradas quanto à necessidade de estima apresentam sentimentos de inferioridade, fraqueza e desamparo. Claras ameaças psicológicas.

Mais uma!

5. (Instituto AOCP – 2015 – EBSERH – Assistente administrativo) A partir da Teoria da Hierarquia das Necessidades de Abraham Maslow, qual característica se enquadra nas necessidades fisiológicas?

a) Condições seguras de trabalho.

b) Supervisor agradável.

c) Elogios e reconhecimento do empregador.

d) Trabalho criativo e desafiador.

e) Intervalo para descanso e lanches.

A alternativa A está errada, pois refere-se às necessidades de segurança. A alternativa B está errada, refere-se às necessidades sociais. A alternativa C está errada, refere-se às necessidades de estima. A alternativa D está errada, refere-se às necessidades de autoestima. Nosso gabarito é a letra E, ao passo que intervalo para descanso caracteriza um repouso adequado, e lanches referem-se à necessidade básica de uma alimentação adequada.

4.5 Teoria dos dois fatores

Essa costuma ser a teoria que causa mais confusão na mente dos *concurseiros*. **Frederick Herzberg** separou em dois fatores os aspectos que causam ou não satisfação no ambiente de trabalho. O pulo do gato da teoria é entender que os fatores que causam satisfação, quando ausentes, não podem causar insatisfação, mas apenas "ausência de satisfação", da mesma forma que os fatores que causam insatisfação, quando ausentes, não podem causar satisfação, mas apenas "ausência de insatisfação".

Os dois fatores são: **fatores motivacionais** (ou de satisfação, ou intrínsecos) e **fatores higiênicos** (ou de insatisfação, ou extrínsecos). Os fatores motivacionais estão intimamente relacionados ao cargo e às tarefas prestadas, por exemplo, se determinada pessoa acredita que o seu trabalho é de grande importância para a empresa, ela está sendo motivada a continuar prestando determinado serviço. A mudança dessa tarefa para uma de menor importância não lhe causará insatisfação, mas apenas romperá o seu impulso motivacional quanto à importância da sua tarefa. Se por um lado, os fatores motivacionais estão relacionados a reconhecimento e crescimento, aspectos psicológicos do indivíduo, os fatores higiênicos estão direcionados para aspectos que o trabalhador não tem tanto controle, normalmente às condições de trabalho, de chefia, de remuneração, etc. Os maiores exemplos de aspectos higiênicos são: salários, premiações, condições de trabalho, supervisão, relacionamentos. Para esta teoria, os fatores higiênicos vão apenas impactar no grau de insatisfação do funcionário. Salário baixo? Local de trabalho imundo? O funcionário irá trabalhar insatisfeito, porém, caso o salário aumente e o ambiente de trabalho fique limpo, ele vai apenas deixar de ficar insatisfeito e não ficará motivado. Existe a ideia de que apenas o salário alto não consegue motivar por longa data as pessoas.

Essa teoria nasce como forma de demonstrar que as formas tradicionais de se administrar uma empresa, como as inspiradas na administração científica, tentando motivar os funcionários apenas com salários e premiações, não são eficazes, já que o lado humano do trabalhador não pode ser desprezado, conforme aprendizado na Teoria das relações humanas.

Síntese:

Teoria dos dois fatores	
Fatores que motivam	**Fatores que ausentes insatisfazem**
Crescimento profissional	Salários
Reconhecimento	Ambiente de trabalho
Sensação de realização	Supervisão e Chefia adequada
Conteúdo do cargo	Relacionamentos
Natureza das tarefas	Premiações

Vamos analisar como esse tipo de questão já foi cobrada.

6. (FUNCAB – 2015 – SES-MG – Especialista em Políticas e gestão da Saúde – Gestão / Psicologia) Para explicar o comportamento das pessoas em situação de trabalho, a teoria dos dois fatores sugere que existem dois conjuntos de fatores capazes de orientar esse comportamento: um conjunto de fatores está ligado ao conteúdo do cargo e o outro se relaciona com o contexto do cargo. Nesse sentido, aspectos tais como as condições de trabalho, as relações com o supervisor e os benefícios e serviços sociais estão relacionados ao conjunto denominado fatores:

a) satisfacientes.

b) motivacionais.

c) higiênicos.

d) holísticos.

Ótima a estrutura da questão. Os aspectos relacionados ao conteúdo do cargo são os motivacionais, os relacionados ao contexto (ambiente de trabalho, salário, relacionamentos) são os higiênicos. Condições de trabalho, relações com o supervisor, benefícios e serviços sociais são exemplos de aspectos higiênicos, relacionados ao contexto do trabalho. A falta deles gera insatisfação, porém a presença deles não gera motivação. Gabarito letra C. Próxima!

7. (FGV – 2014 – SUSAM – Administrador) De acordo com a Teoria dos dois fatores de Herzberg, analise as afirmativas a seguir.

I. Quando excelentes, os fatores motivacionais geram maior satisfação.

II. As relações interpessoais são consideradas como um fator higiênico.

III. O oposto de satisfação não é a insatisfação, mas nenhuma satisfação.

a) se somente a afirmativa I estiver correta.
b) se somente a afirmativa II estiver correta.
c) se somente a afirmativa III estiver correta.
d) se somente as afirmativas I e II estiverem corretas.
e) se todas as afirmativas estiverem corretas.

Ótima questão, e acredito que, com essa, o nosso conhecimento se consolide. A primeira afirmativa está correta, os fatores motivacionais também são conhecidos como **fatores satisfacientes**. A segunda afirmativa também está correta, os relacionamentos em geral são aspectos higiênicos, seja em relação aos funcionários, seja em relação à chefia. A última afirmativa também está correta, como já falamos algumas vezes o oposto dos fatores motivacionais (de satisfação) não é a insatisfação, mas apenas a ausência de satisfação. Gabarito alternativa E.

4.6 Teoria ERC

É uma adaptação da teoria da hierarquia das necessidades. **Clayton Alderfer**, seu autor, compactou em apenas três níveis a pirâmide, sendo: necessidades de existência, necessidades de relações e necessidades de crescimento.

Necessidades de existência: são as relacionadas com a saúde física e mental do indivíduo, correspondem às necessidades fisiológicas e de segurança de Maslow.

Necessidades de relações: são as relacionadas às relações interpessoais, correspondem às necessidades sociais e algumas de estima, de Maslow.

Necessidades de crescimento: são as relacionadas ao crescimento individual e ao uso máximo de seu potencial, correspondem às necessidades de estima e de autoestima de Maslow.

Um grande diferencial dessa teoria é que, para Alderfer, a noção de níveis hierárquicos das necessidades é mais complexa, ao passo que o **ser humano pode avançar ou regredir na busca por suas necessidades**. Deste pensamento surge ainda o **princípio da frustração-regressão**, que significa dizer que à medida que uma **necessidade de cima é abalada, uma necessidade inferior é retomada e com mais força**. Por exemplo, João tem um bom salário, um trabalho seguro e uma boa relação interpessoal, porém ainda não consegue o reconhecimento que deseja (necessidade de crescimento), ocorre que sua busca por relacionamentos (necessidade de relações) volta ainda maior, fazendo com que João procure novas alianças políticas, novas amizades, novos amores.

8. **(CESPE – 2011 – TRE-ES – Analista – Psicologia)** De acordo com a teoria ERC ou ERG, a motivação está relacionada à natureza do trabalho em si e às recompensas derivadas do desempenho humano.

Bom, esta questão tem algumas curiosidades para discutirmos. Primeiramente, de fato, a teoria ERC também pode ser chamada de teoria ERG. Agora, quanto à parte importante da questão, na teoria ERC a motivação não é inerente à natureza do trabalho em si, mas sim às necessidades do indivíduo em determinada fase de trabalho. Um ponto importante, é que, para a teoria ERC, o indivíduo pode necessitar de necessidades simultâneas, como existenciais e relacionais. Gabarito errado.

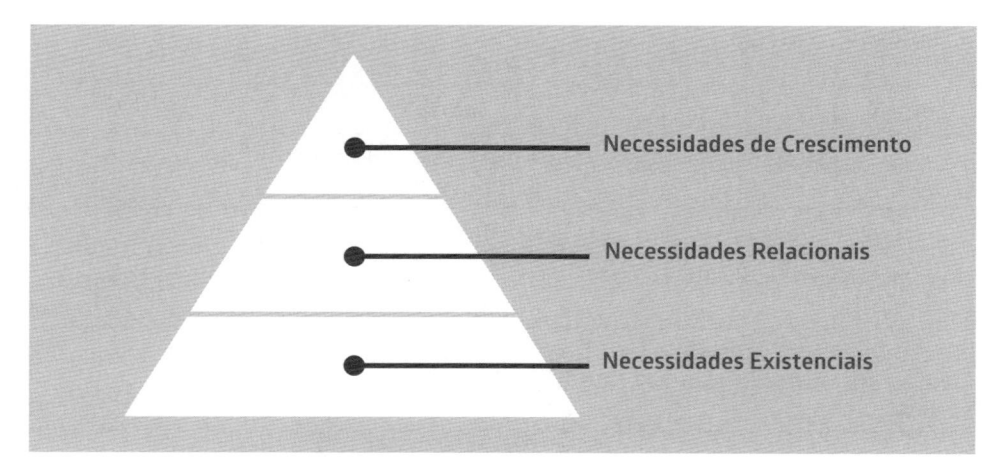

FIGURA 4.3 – Necessidades da teoria ERC.

4.7 Teorias X e Y

McGregor traçou dois modelos comportamentais humanos, opostos e antagônicos. Representando o ser humano dinâmico, flexível e criativo, traçou um perfil chamado de Teoria Y, representando o ser humano preguiçoso, que não gosta de trabalhar e que não tem ambição de crescimento, traçou o perfil chamado de Teoria X.

Teoria X: é a visão mais tradicional da administração, baseada em alta burocracia e controle. Para essa teoria as pessoas são preguiçosas, não gostam de trabalhar e também não possuem ambições, preferem ser controladas do que terem autoridade. Para esse enredo, a organização deveria dirigir e controlar as pessoas rigidamente, além de incentivá-las ao trabalho por meio de incentivos materiais, como salários e premiações para os bons desempenhos, e punições para os empregados com desempenho aquém do esperado.

Teoria Y: é a visão moderna do comportamento humano, baseada em autonomia, criatividade e inovação. Nesse viés, o ser humano não odeia o trabalho, ele leva numa boa e, em alguns casos, sente até prazer com o seu desempenho. Aqui existe a ideia de que o homem consegue se autocontrolar e se autodirigir, além de ser ambicioso e criativo por natureza. Para este enredo, a organização deveria promover uma administração mais participativa, proporcionando um ambiente dinâmico e democrático.

As perguntas de prova costumam abordar o fato da **teoria X ser baseada em controle e rigidez, ao passo que a teoria Y é baseada em confiança e dinamismo**. Outro ponto cobrado diz respeito ao ambiente ideal para cada teoria, sendo o ambiente estável e de poucas mudanças adequado para a teoria X e o dinâmico e flexível para a teoria Y.

Síntese:

Teoria X	Teoria Y
Pessoas preguiçosas.	Pessoas podem até sentir prazer com o trabalho.
Pessoas sem ambição.	Pessoas ambiciosas.
Pessoas preferem ser controladas a controlarem.	Pessoas são capazes de se autocontrolarem e autodirigirem.
Pessoas devem ser incentivadas com recompensas materiais, mas também punidas.	Pessoas devem ser estimuladas à criatividade.

Praticar.

9. (FGV – 2013 – CONDER – Administrador) Quando o administrador impõe, de cima para baixo, um esquema de trabalho, que controla o comportamento dos subordinados, está adotando o estilo de administração traçado na:

   a) teoria das decisões.

   b) teoria 3D.

   c) teoria Y.

   d) teoria X.

   e) teoria estruturalista.

   Questão sem muito segredo. Esquema de trabalho baseado em controle (falta de confiança nos trabalhadores) é a teoria X, gabarito letra D.

4.8 Teoria das três necessidades

Esta é uma abordagem bem contemporânea do estudo das necessidades. Para **McClelland** existem três necessidades: necessidade de realização, necessidade de afiliação e necessidade de poder. O grande ponto desta teoria é que, para o autor, as necessidades não seguem uma linha hierárquica programada, mas na verdade elas são despertadas em cada ser humano ao longo da sua vivência e experiência de vida.

Necessidades de realização: relacionadas ao desejo de grandes desafios, de realizar trabalhos complexos e desafiadores.

Necessidades de afiliação: relacionadas ao desejo de construir amizades, de conviver em paz, de evitar conflitos.

Necessidades de poder: relacionadas ao desejo de controlar e influenciar as pessoas, de ter autoridade nas relações interpessoais e influenciar no destino dos objetivos organizacionais.

Entre as descobertas desta teoria, percebeu-se que as pessoas com necessidades de realização tinham um desempenho maior do que as demais em suas tarefas; outra descoberta foi que as pessoas com necessidades de afiliação são recomendadas para tarefas relacionadas com a gestão de pessoas, pois desempenham bem o papel de integradores. Por fim, notou-se que os administradores de níveis hierárquicos mais altos são caracterizados fortemente por uma necessidade de poder.

Hora da prática!

10. (FCC – 2012 – TRESP – Analista judiciário – Psicologia) Na teoria de motivação desenvolvida por David McClelland, a necessidade de poder é definida como o desejo de:

a) assumir responsabilidade pessoal por seu trabalho.

b) direcionar o desempenho para um padrão de excelência.

c) influenciar pessoas e eventos.

d) solucionar problemas complexos.

e) ser elogiado constantemente.

Essa é uma questão altamente capciosa. O candidato que está a passeio com certeza erraria. A alternativa A está relacionada às necessidades de realização, ideia de "se garantir". A alternativa B também está relacionada às necessidades de realização, ideia de "padronizar para um nível ótimo, superar expectativas". Nosso gabarito é a letra C, muitas pessoas pensam em necessidades de poder como um instrumento de apenas influenciar pessoas, o que não é verdade, existe uma influência mais ampla. A alternativa D também está relacionada às necessidades de realização, e a alternativa E está relacionada às necessidades de afiliação.

4.9 Teorias de processo

As teorias dessa abordagem não tentam explicar apenas as necessidades das pessoas, mas todo o processo mental por trás da motivação. Elas visam responder como as pessoas se motivam a agir. São teorias mais complexas, pois estudam os resultados das ações das pessoas e o interesse das pessoas com os objetivos organizacionais, por esse motivo existe uma grande dificuldade dos administradores em implementá-las, pois demanda um vasto conhecimento a respeito da organização e dos funcionários.

Agora iremos estudar as principais teorias desse agrupamento: **Teoria da Expectativa** – Vroom; **Teoria da Equidade** – Adams; **Teoria do Estabelecimento de Objetivos** – Locke e **Teoria do Reforço** – Skinner. Em síntese:

Abordagem de Processo	
Teoria	Autor
Teoria da Expectativa	Vroom
Teoria da Equidade	Adams
Teoria do Estabelecimento de Objetivos	Locke
Teoria do Reforço	Skinner

4.10 Teoria da expectativa (expectância)

Maximiano explica muito bem a teoria de **Vroom**, em suas palavras a teoria propõe "que as pessoas se esforçam para alcançar resultados ou recompensas, que para elas são importantes, ao mesmo tempo em que evitam os resultados indesejáveis".[36] A ideia é que a motivação é o produto da expectativa de que é possível alcançar determinado resultado, pelo valor atribuído a este resultado.

MOTIVAÇÃO = Expectativa x Interesse no resultado

Contextualizando para um ambiente mais prático podemos pensar no *concurseiro* que está ansioso para passar em sua prova (**recompensa**), só que, para isso, terá que tirar uma boa nota no teste (**desempenho**) e não conseguirá sem estudar intensamente e com disciplina (**esforço**). Como podemos notar, existe uma forte relação entre o esforço individual, o desempenho e os resultados. A relação desses três fatores representa os pilares dessa teoria.

---

36. MAXIMIANO, Antonio C. Amaru. *Teoria Geral da Administração*. Edição compacta. 2. ed. São Paulo: Atlas, 2012, p. 190.

Expectativa esforço-desempenho (expectativa): componente relacionado à expectativa da pessoa em relação a conseguir fazer determinada tarefa (esforço), gerando assim determinado desempenho. As perguntas-chave aqui são: "Quais as chances de eu conseguir fazer esta atividade? Será que consigo entregar o trabalho no prazo?".

Expectativa desempenho-resultado (instrumentalidade): componente relacionado à expectativa da pessoa de que determinado desempenho gerará determinado resultado (recompensa). Podemos pensar da seguinte maneira: Se eu tirar 10 na prova (desempenho), serei aprovado (resultado)? Se eu juntar 100 mil reais (desempenho de economia), posso comprar um carro (resultado)?

Atratividade do resultado (valência): componente que representa o valor motivacional que determinado resultado gera em cada indivíduo. Para uma pessoa que gosta de viajar, uma promoção internacional pode gerar grande valor, mas para outra pessoa que não tem interesse em sair da sua cidade, pode ter um valor baixo.

Síntese:

Esforço	Desempenho	Resultado
Ex: Estudar todos os dias para o concurso.	Ex: Ter sido aprovado no concurso.	Ex: Ser nomeado.

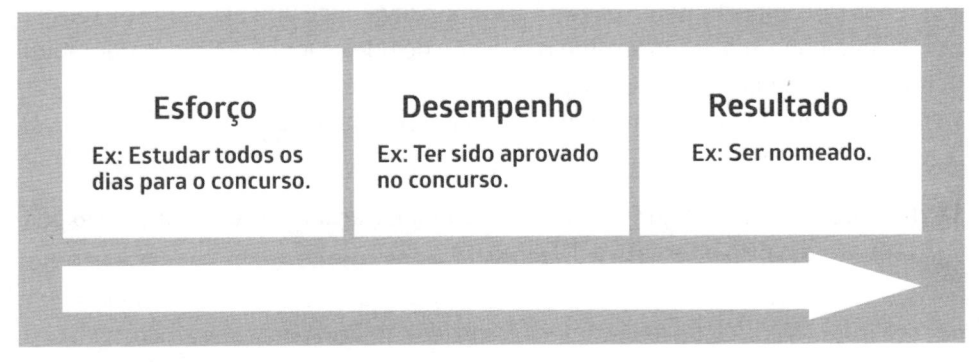

FIGURA 4.4 – Teoria da expectativa.

Vamos compactar a teoria com um exemplo de administração. Determinada pessoa é incumbida de organizar as contas da empresa. As primeiras perguntas que ela se faz é: "Será que eu consigo fazer este trabalho? Vou precisar trabalhar mais tempo?". Caso ache possível e se sinta capaz, pode ficar motivada, caso não se ache competente naturalmente sentirá uma desmotivação. Prosseguindo, pensará: "Se eu conseguir organizar as contas da empresa, eu serei gratificado? A empresa ficará melhor?". Com isso, percebemos algumas relações, como **a) a relação do esforço dela em relação ao desempenho necessário** (trabalhar mais dias ajudou a organizar as contas da empresa?), **b) a relação do desempenho dela em relação ao resultado** (ter organizado as contas gerou um prêmio de gratificação?) e **c) a importância do resultado alcançado** (esta gratificação foi boa para mim? A empresa estar organizada é bom para mim?).

Agora vamos praticar!

11. (CESPE – 2012 – TJ-AL – Analista judiciário – Área administrativa) A motivação, conforme postulado pela teoria da expectativa, é um(a)

a) competência interpessoal preditora de desempenho fluente no trabalho.

b) variável preditora de qualidade de vida.

c) função dos fatores higiênicos e motivacionais presentes na relação indivíduo/organização.

d) fenômeno biopsicossocial multideterminado.

e) função da valência, da expectativa e da instrumentalidade ou meio.

Questão que nos permite avançar mais um pouquinho no conhecimento. Nosso gabarito é a alternativa E, representada pela função "Motivação = V . E . I", que nada mais é do que uma visão mais completa da fórmula "Motivação = Expectativa x Interesse no resultado". Nesta função mais completa, expectativa é a relação de esforço-desempenho (exemplo: o quanto determinada pessoa acredita que tendo tal comportamento passará em uma prova), instrumentalidade é a relação desempenho-resultado (exemplo: a noção de que se ler muito e estudar muito, determinada pessoa terá mais força de passar numa prova) e valência (exemplo: o quão positivo ou negativo é para determinada pessoa passar na prova). Gabarito E.

12. (FUNDEP – 2014 – IF-SP – Auxiliar em administração) Sobre a teoria da expectativa, assinale a alternativa INCORRETA.

a) Propõe que os funcionários são motivados quando acreditam que podem realizar uma tarefa, e as recompensas valem o esforço da sua realização.

b) A teoria da expectativa é baseada na fórmula: motivação = expectativa X recompensa.

c) A percepção que um funcionário tem de sua capacidade de realizar um objetivo não é expectativa.

d) Quanto mais alta a expectativa, maior a motivação.

A alternativa A está correta, a teoria propõe que a expectativa do funcionário em saber se consegue ou não fazer determinada tarefa pode motivá-lo, ao mesmo passo que a proporcionalidade da recompensa também pode influenciá-lo. Afinal, ninguém iria querer trocar todas as lâmpadas de casa para LED se a conta de luz não abaixasse. A alternativa B também está correta, é a simplificação da fórmula da motivação de Vroom, o que o funcionário espera do seu desempenho x o que ele irá receber em troca. A alternativa C está incorreta e é o nosso gabarito. A percepção que um funcionário tem de sua capacidade de desempenhar determinada tarefa é uma expectativa, que influencia diretamente no seu campo motivacional. A alternativa D está correta e dispensa comentários.

4.11 Teoria da equidade

Equilíbrio! Nem muito e nem pouco, queremos o justo! Esta é a ideia por trás desta teoria. Todo ser humano, quando faz algum esforço, quer (ainda que subconsciente) alguma recompensa em troca e que seja justa, e é com esse pensamento que surge a teoria da equidade.

Para **Stacy Adams**, o ser humano se motiva quando o que recebe pela sua entrega é justa, correlacionando a recompensa com o seu esforço e com o que os outros funcionários da empresa fizerem. Oras, se eu produzi com maestria e qualidade, não é justo o funcionário que fez tudo desleixado receber o mesmo carinho e atenção que eu, ou a mesma recompensa material. Nesta linha de pensamento, existe a ideia de que, caso determinada pessoa receba mais do que mereça, se sentirá culpada por ter sido favorecida, e, ao contrário, caso receba menos do que mereça, se sentirá injustiçada por ter sido desfavorecida. **Equilíbrio!**

Maximiano explica que o ser humano sempre faz comparações, seja em relação a si mesmo – por exemplo, quando compara o seu desenvolvimento atual com o em outro emprego –, seja em relação a outros funcionários da empresa. Quanto mais próximo, maior é a comparação. Situações de injustiça podem aguçar o sentimento de desmotivação, frustração e perda de autoestima. As situações de **inequidades** podem gerar algumas ações indesejadas, como o funcionário passar a trabalhar menos, o funcionário passar a produzir mais, porém com menos qualidade (recebe por produção), ou até uma mudança de emprego. Algumas distorções também podem ser percebidas devido às comparações. Imagine que "Fulano" trabalhe numa padaria e faça rosquinhas sempre do mesmo jeito, porém com a contratação de um novo funcionário, ele percebeu que o novo funcionário faz as rosquinhas de outra forma e sempre é elogiado, sendo assim, devido a essa comparação ele começa achar que as suas rosquinhas não são tão boas e começa a imitar o novo funcionário.

Hora da prática!

13. (FCC – 2014 – TRT 19ª região (AL) – Analista Judiciário – Psicologia) A teoria de motivação da equidade propõe que as pessoas são motivadas a buscar equidade:
    a) motivacional para com o cumprimento de todas as suas necessidades primárias.
    b) relacional nas transações emocionais que esperam obter dos outros.
    c) funcional nas transações do trabalho em troca de remuneração justa.
    d) social nas recompensas que esperam pelo desempenho.
    e) laboral para com o cumprimento de necessidades básicas.

Nosso gabarito é a alternativa D. Trata-se de uma equidade social, pois o indivíduo se compara a si mesmo, como também às pessoas a sua volta. Como já estudamos, ele anseia por uma recompensa justa relacionada ao seu esforço.

4.12 Teoria do estabelecimento de objetivos

Esta é uma teoria cognitiva. Para **Edwin Locke**, psicólogo por trás desta teoria, as pessoas funcionam melhor quando têm metas a cumprir. A ideia é que os funcionários de uma empresa trabalham mais motivados quando buscam objetivos **aceitáveis** (capacidade de cumprir), **desafiadores** (complexidade, dificuldade) e **alcançáveis** (possibilidade de conclusão). Por exemplo, seguindo a linha de pensamento do autor, uma equipe de vendas venderia menos se não tivesse metas a serem batidas. Faz sentido, certo?

Sobral e Peci (2008) explicam que quanto mais **específicos, quantificáveis e mensuráveis forem os objetivos**, mais eficazes serão em relação à motivação dos funcionários. Complementam explicando que é responsabilidade dos gerentes oferecer um *feedback* **preciso aos funcionários**, para que, assim, exista um ajuste de desempenho.

14. (ACAFE – 2009 – MPE-SC – Analista do Ministério Público) – Analista Judiciário – Psicologia) As teorias que fazem parte da perspectiva de processo e que buscam compreender o "como" da motivação, ou seja, o processo de pensamento por meio do qual as pessoas decidem como agir, são:

a) Teoria das Três Necessidades de McClelland, Teoria dos Dois Fatores de Herzberg e Teoria da Equidade.

b) Pirâmide das Necessidades de Maslow e Teoria dos dois Fatores de Herzberg.

c) Teoria da Expectativa, Teoria da Equidade e Teoria do Estabelecimento de Objetivos.

d) Pirâmide das Necessidades de Maslow, Teoria do Estabelecimento de Objetivos e Teoria da Expectativa.

e) Teoria do Reforço, Teoria da Equidade e Teoria dos Dois Fatores de Herzberg.

Agora uma questão desse tipo já deve estar bem tranquila, certo? Na alternativa A as teorias das três necessidades e dos dois fatores são teorias de conteúdo. Na alternativa B, ambas as teorias são de conteúdo. A alternativa C é o nosso gabarito, teoria da expectativa, teoria da equidade e teoria do estabelecimento de objetivos compõem o quadro de teorias da abordagem de processo. Na alternativa D a teoria da pirâmide de Maslow é de conteúdo, e na alternativa E a teoria dos dois fatores é de conteúdo.

4.13 Teoria do reforço

Skinner, principal representante desta teoria, propõe que o reforço molda o comportamento dos indivíduos. Isso quer dizer que à medida que as pessoas recebem reforços positivos, como elogios e premiações, tendem a repetir os seus atos, e à medida que não recebem tais reforços ou são punidos, tendem a diminuir os seus atos – isso gera uma ideia de **manipulação baseada em reforços e/ou punições**. Esta é a famosa **Lei do Efeito**.

> Nota: Reforço refere-se à tentativa de causar repetição ou inibição em determinados comportamentos.

Conforme dispõe a teoria, existem quatro reforços, ou manipuladores de comportamento, que são:

Reforço positivo: recompensar quando determinado comportamento desejado acontece. Exemplos de reforços positivos: premiações, bônus, participação de lucro, elogios.

Reforço negativo (aprendizado da abstenção): deixar de aplicar uma punição ou uma crítica negativa quando determinado comportamento indesejável deixa de acontecer. Exemplo de reforço negativo: parar de brigar com o funcionário quando ele deixa de chegar atrasado.

Punição: aplicar determinada sanção no indivíduo que faz as coisas do jeito errado. Exemplo: Gerente que dá uma bronca no funcionário que entra na fábrica sem os EPIs. Embora pareça que a punição tenha o resultado oposto da recompensa, para **Maximiano (2012)** "enquanto a recompensa aumenta a probabilidade de repetição do comportamento, não parece que o castigo aumente a probabilidade de evitá-la".[37] **Sobral e Peci (2008)** complementam explicando que "esse tipo de reforço é muito criticado, uma vez que não indica o comportamento correto que se espera do funcionário".[38]

Extinção: retirar as recompensas quando determinado comportamento indesejável acontece. Exemplo: parar de elogiar o funcionário que está chegando atrasado.

Vamos ver como essa teoria e as suas estratégias de modificação de comportamento são cobradas.

---

37. MAXIMIANO, Antonio C. Amaru. *Teoria Geral da Administração*. Edição compacta. 2. ed. São Paulo: Atlas, 2012, p. 193.
38. SOBRAL, Felipe; PECI, Alketa. *Administração:* Teoria e prática no contexto brasileiro. São Paulo: Pearson Prentice Hall, 2008, p. 214-215.

15. (CESPE – 2014 – MEC – Especialista em regulação da educação superior) De acordo com a teoria do reforço, um funcionário estará motivado a empregar um alto nível de esforço quando acreditar que isso o levará a uma boa avaliação de desempenho; que essa avaliação se traduzirá em recompensas organizacionais como promoção, prêmios ou aumento salarial; e que as recompensas satisfarão as suas metas pessoais.

Gabarito errado. Esta questão está completa demais para a teoria do reforço e está muito mais relacionada à teoria da expectativa, em que o esforço é pensado no desempenho, e que o desempenho gerará determinada recompensa, que é desejada. Em termos de teoria do reforço, o funcionário, ao empregar determinado nível de esforço e ser recompensado positivamente, ficaria motivado e repetiria o seu ato. Esta é a teoria do reforço.

4.14 Liderança

Este é outro instituto muito ligado à direção, pois é uma função relacionada com a liderança do pessoal em busca dos objetivos organizacionais. Aqui, citaremos diferentes abordagens e diferentes autores sobre liderança, mas antes, precisamos entender as definições mais básicas.

Para **Robbins (2005)**, "liderança é a capacidade de influenciar um grupo para alcançar metas".[39] Para o autor, a liderança pode surgir por **indicação formal – autoridade legítima – ou de maneira natural dentro das relações informais**. Na prática, devemos pensar que nem todo administrador tem uma capacidade efetiva de liderança, ao mesmo passo que muitos funcionários de baixo nível hierárquico possuem qualidades naturais de liderança. **Maximiano (2012)**, entre as suas definições, comenta que a liderança é o processo de conduzir as ações ou influenciar o comportamento e a mentalidade de outras pessoas. Neste contexto, fica claro que a liderança não nasce do cargo, mas sim de outras características e qualidades, portanto não é necessário ser um administrador, um gerente ou um alto executivo para ser um bom líder.

Esse assunto introdutório já foi cobrado em provas? Vejamos.

16. (FCC – 2009 – TRT – 3ª Região (MG) – Analista Judiciário – Estatística) Liderança é a:

a) autoridade legal necessária para o exercício eficiente da direção de uma organização.

b) capacidade de imitar e até mesmo superar os comportamentos de outros de forma espontânea.

---

39. ROBBINS, Stephen P. *Comportamento Organizacional*. 11. ed. São Paulo: Pearson Prentice Hall, 2005, p. 259.

c) capacidade de forçar alguém a fazer alguma coisa, mesmo que ela não o deseje.

d) qualidade de propor mudanças na condução dos processos organizacionais sem forçar a sua aceitação pelos demais.

e) capacidade de influência interpessoal exercida por meio da comunicação, visando a um objetivo específico.

A alternativa A está errada, pois não é necessária a autoridade legítima (cargo hierárquico) para ser um líder. A alternativa B está errada, pois liderança não diz respeito à imitação de comportamentos; um comportamento de condução em determinada fábrica não necessariamente funciona em uma agência de publicidade. A liderança está cada vez mais relacionada com conceitos democráticos, por isso a alternativa C está errada. A alternativa D confunde, mas não é o nosso gabarito. Qualidade de propor mudanças na condução dos processos organizacionais sem forçar a sua aceitação pelos demais não é a definição de liderança – liderança é conduzir as pessoas para o atingimento de objetivos, é influenciar, mas não necessariamente mudar processos. De repente a empresa já está com os processos organizacionais certos e falta apenas um líder para motivá-los, guiá-los. Nosso gabarito é a alternativa E, que corresponde exatamente à ideia de influenciar pessoas e direcioná-las a objetivos.

4.15 Motivação dos liderados

Existe um motivo para que as pessoas sigam determinados líderes. Basicamente o que ele oferece, sejam recompensas, seja inspiração, tem de ser atrativo, tem de despertar o interesse dos liderados. Existem dois principais modelos de líderes baseados na motivação.

Líder transacional: existe uma autêntica relação de troca entre o líder e o liderado. As trocas normalmente são materiais, como prêmios e incentivos, mas também podem ser de natureza psicológica (exemplos: elogios ou punições). Analisando num contexto prático, estamos falando da gerência que gratifica os funcionários que atingem metas, os diretores de faculdades que bonificam os melhores professores com viagens e tantos outros exemplos. Lembrem-se: a palavra **transação** vem de troca.

Líder transformacional: são líderes visionários, que constroem uma visão. São orientados para o futuro, para o contínuo cenário de mudanças, provocam em seus liderados o espírito provocador, empreendedor, desafiador. Conquistam pela mensagem que transmitem e pelos objetivos que propõem. Normalmente são tidos como líderes carismáticos, não necessariamente abrem mão das recompensas materiais, mas trabalham com muito mais que isso. Em um cenário prático, poderíamos pensar nos líderes que motivam a empresa a ser a melhor do mercado, ou num líder que proponha formas inovadoras de processos fabris menos poluentes.

A liderança transacional é altamente burocratizada e funciona melhor em ambientes estáveis, pouco dinâmicos, ao passo que a liderança transformacional é mais adaptativa, transcende a burocracia e é melhor aproveitada em ambientes de mudança. Agora vamos ver como este tópico tem sido cobrado.

17. (CESGRANRIO – 2010 – BACEN – Analista do Banco Central – Área 5) Cauã é um coordenador de uma importante divisão em sua organização. Sofia, uma de suas subordinadas, descreve-o como um "chefe que foge das responsabilidades e que evita tomar decisões", no entanto "reconhece nosso trabalho e negocia constantemente com os seus funcionários, prometendo recompensas em troca de bom desempenho." Segundo Carol, outra de suas subordinadas, "Cauã só aparece quando algo dá errado, preocupando-se mais em punir do que em prevenir determinados desvios". De acordo com as teorias de liderança, Cauã é um líder:

a) transformacional.

b) negociador.

c) autocrático.

d) democrático.

e) transacional.

Questão bacana. O chefe foge das responsabilidades, evita tomar decisões e só aparece quando algo dá errado. É óbvio que transformador ele não é, pois não é um líder inspirador. Democrático também não, pois nada é falado de uma política participativa de estratégias ou algo assim. Negociador, que poderia gerar dúvidas, também não pode ser, pois um negociador está ligado a boas qualidades. A dúvida permeia entre autocrático ou transacional, mas matamos a questão quando percebemos que ele foge das responsabilidades e evita tomar decisões; ora! Isso é o oposto da autocracia, que tem como característica básica a centralização. Nosso gabarito é a última alternativa, pois esse líder tem como principais características as trocas e as punições. Gabarito alternativa E.

Agora vamos avançar e discutir as principais teorias da liderança.

4.16 Traços de personalidade

Uma das maneiras mais antigas de se estudar os líderes consiste na observação de seus traços, que nada mais são dos que as características que diferem uma pessoa da outra, como valores, postura, conduta... A ideia era simples: analisar as principais características comuns entre os líderes. O problema é que os líderes não tinham sempre características em comum. Alguns eram mais amáveis, outros mais rígidos, alguns mais inteligentes, outros mais persistentes, e mais uma porção de divergência. No fim, percebeu-se que as características dos líderes não eram lá tão diferentes das pessoas normais. Mas não podemos desconsiderar tudo desta teoria, de acordo com **Maximiano (2012)** foi notado que a iniciativa nas relações pessoais e o senso de identidade pessoal são características bastante presentes na maioria dos líderes.

Antes de avançarmos para as questões, vamos imaginar um pouco disso do que falamos. Entre as mais variadas formas de organização e os mais diversos segmentos podemos encontrar líderes, como um líder da igreja católica e um líder das Forças Armadas. Será que, para ambos os casos, os traços de liderança procurados se assemelham?

Agora, vamos para as questões!

18. (CESPE– 2012 – STJ – Analista judiciário – psicologia) **Teorias baseadas em traços de personalidade visam determinar as características pessoais de bons líderes.**

Questão perfeita. É exatamente isso. As teorias baseadas em traços de personalidade procuram as características pessoais dos líderes que se assemelham. Gabarito certo.

19. (FCC – 2010 – TRT – 8ª Região (PA e AP) – Analista Judiciário – Área Administrativa) **As teorias sobre liderança apresentadas por autores humanistas podem ser classificadas em três grupos:**

a) inteligência geral, interesses e atitudinais.

b) contingenciais, reforço e motivacionais.

c) traços de personalidade, estilos de liderança e situacionais.

d) traços de caráter, contingenciais e aprendizagem.

e) estilos de poder, sistêmicas e comportamentais.

Esta questão foi selecionada justamente para demonstrar a principal classificação do estudo de liderança, sendo: traços de personalidades, ligados às características pessoais dos líderes; estilos de liderança, ligados ao estilo de liderar adotados pelos líderes; e situacionais, relacionadas à adaptação de liderança dos líderes com situações específicas. Gabarito C. Agora vamos avançar para um dos temas mais cobrados em provas.

4.17 Estilos de liderança

Diferente da abordagem baseada nos traços das pessoas, aqui o foco está em como a autoridade do líder é utilizada – traduzindo, de qual maneira o líder conduz a sua equipe. Os estilos de liderança mais conhecidos e cobrados em provas são:

autocrático, **democrático** e **liberal**. O primeiro está intimamente relacionado com o líder centralizador, que decide tudo, gosta de mandar! Já o segundo está relacionado com o líder que incentiva a participação de todos, ele controla, mas ele aceita opiniões. Já o último libera a banca toda, delega completamente a atividade e não controla nada.

Maximiano (2012) explica que o excesso de autocracia gera a **tirania**, que basicamente é o reflexo do **abuso de poder**. Já como disfunção do excesso de democracia, temos a **demagogia**, que está relacionada com a busca da popularidade, e não com o sucesso da tarefa.

Para **Chiavenato (2004)**, o líder utiliza os três processos de liderança, de acordo com a situação, com as pessoas e com a tarefa a ser executada, o desafio é saber quando aplicar qual estilo, com quem e em que circunstâncias e atividades.[40]

20. (CONSULPLAN – 2012 – TSE – Analista Judiciário – Psicologia) Em relação à Teoria de Estilos de Liderança, é correto afirmar que:

a) o líder democrático se preocupa com o relacionamento entre as pessoas, fornece alguma estrutura, compartilha responsabilidade com os liderados, envolvendo-os no planejamento e execução das tarefas.

b) o líder autocrático dá o mínimo de direção e o máximo de liberdade aos liderados.

c) a estrutura permissiva (laissez-faire) tem como principal preocupação a realização das tarefas e a centralização do poder.

d) a liderança carismática se caracteriza pelo reduzido fascínio exercido pelo líder em relação aos seus liderados.

Por sorte, a alternativa A já é de cara o nosso gabarito. De fato, o líder democrático preocupa-se com a relação entre as pessoas. A palavra democracia tem sua origem na antiguidade política, significando um governo em que o povo é soberano. O líder democrático também fornece estrutura e compartilha as responsabilidades com os liderados, na medida do possível, pois se trata de uma liderança de participação. A alternativa B está errada, pois o líder autocrático direciona completamente os trabalhos e não dá margens para liberdade, ele manda, as pessoas obedecem. A estrutura permissiva – liberal – não tem como principal preocupação a centralização do poder, pois todo o poder é delegado às pessoas. A alternativa D está errada, pois a liderança carismática é exercida justamente com base no fascínio que os liderados têm pelo líder ou por sua ideologia. Normalmente acreditam em sua missão, em sua visão.

---

40. CHIAVENATO, Idalberto. *Introdução à Teoria Geral da Administração*. 7. ed. Rio de Janeiro: Elsevier, 2004, p. 125.

21. (CESPE – 2013 – INPI – Analista de Planejamento – Pedagogia) Autoritário, democrático e laissez-faire são estilos de liderança.

Questão que tenta dar uma enfeitada. Autoritário é um sinônimo para o líder autocrático. Democrático já conhecemos. "*Laissez-faire*" é um termo francês que significa "deixar fazer", líder liberal (permissivo). Gabarito questão correta.

4.18 Régua da liderança e Modelo de Fiedler

Tannenbaum e Schmidt desenvolveram uma escala com duas extremidades, de um lado a autocracia, de outro a democracia. Este pensamento, que também é chamado de "**Continuum da liderança**", coloca na extremidade "autocracia" o foco máximo nas tarefas e mínimo nas pessoas e na extremidade democracia o inverso – formando assim uma ideia antagônica.

Régua:

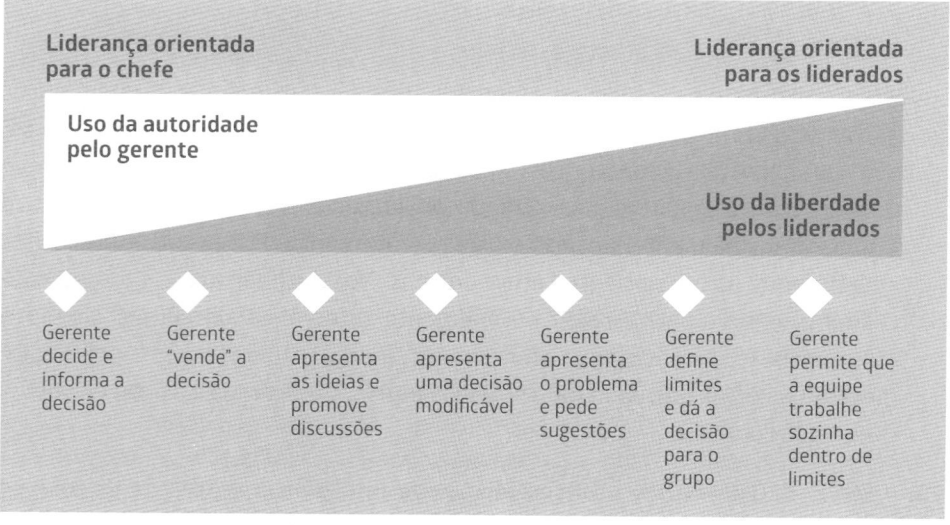

Liderança orientada para o chefe							Liderança orientada para os liderados
Uso da autoridade pelo gerente							Uso da liberdade pelos liderados
Gerente decide e informa a decisão	Gerente "vende" a decisão	Gerente apresenta as ideias e promove discussões	Gerente apresenta uma decisão modificável	Gerente apresenta o problema e pede sugestões	Gerente define limites e dá a decisão para o grupo	Gerente permite que a equipe trabalhe sozinha dentro de limites

FIGURA 4.5 – Régua da liderança.

Maximiano (2012) explica que, conforme o estudo da liderança avançou, novas concepções foram geradas, como a **liderança orientada para tarefas** e a **liderança orientada para pessoas**. A escolha do modelo a ser seguido não é como uma receita de bolo, pois características como o perfil do líder, o perfil majoritário dos liderados e a urgência da realização das tarefas devem ser consideradas.

A liderança orientada para tarefas obviamente foca nas atividades e não nas pessoas. É uma liderança que visa o máximo de produtividade e eficiência, tem planejamento, organização e forte controle. Já a liderança focada em pessoas tem seus pilares nas relações humanas, considera o que o grupo pensa e toma decisões com a participação dos liderados.

Para **Fiedler**, um dos principais responsáveis por esta forma de abordar a liderança, os líderes focados na tarefa conseguem mais resultados em situações extremas (seja uma situação super favorável, seja superdesfavorável), ao passo que o líder focado em pessoas possui melhores resultados em situações menos extremas.

Este assunto já foi cobrado de diferentes formas, vamos analisar alguns pontos na prática.

22. (CESPE – 2008 – TRT – 1ª Região (RJ) – Analista Judiciário – Área Administrativa) O gestor de recursos humanos que utiliza a liderança centrada nas tarefas:

    a) atua como apoio e retaguarda para as pessoas.

    b) respeita os sentimentos das pessoas.

    c) procura ensinar as tarefas e desenvolver as pessoas.

    d) monitora os resultados do desempenho das pessoas.

    e) demonstra confiança nas pessoas.

    As alternativas B e E podem ser eliminadas logo de cara, pois são características extremamente democráticas, voltadas para a liderança orientadas para pessoas. A alternativa A também está voltada para pessoas, pois existe um apoio e um braço (retaguarda) para quando os liderados necessitem. A alternativa C falha, principalmente, quando diz desenvolvimento de pessoas – não existe este enfoque no líder orientada para tarefas. Nosso gabarito é a alternativa D. O líder orientado para tarefas, normalmente autocrático, tem um grande foco no controle, focalizando a sua atenção no cumprimento de prazos – objetivos e metas –, padrões de qualidade, eficiência entre os processos e as mais diversas formas de controle.

23. (CESPE – 2010 – ABIN – Oficial Técnico de Inteligência – Área de Psicologia) A liderança orientada para a tarefa é mais efetiva do que a orientada para o relacionamento.

    Questão tranquila. O gabarito é errado, pois o estilo de liderança é relativo, ele depende da personalidade do líder, dos liderados e, principalmente, da situação.

24. (FCC – 2012 – TST – Técnico Judiciário – Área Administrativa) Teorias situacionais ou contingenciais apontam para dois tipos de liderança: as orientadas para pessoas e as orientadas para:

    a) autoridade.

    b) tarefas.

c) poder.
d) liberdade.
e) recompensas.

Questão fácil também, mas nos permite entender mais uma possível forma de se cobrar a matéria. Nosso gabarito é a letra B, tarefas.

Agora vamos continuar estudando outras abordagens, situações ou contingenciais.

4.19 Grade gerencial – liderança bidimensional

Liderança voltada para tarefas e liderança voltada para pessoas por muito tempo foram consideradas características completamente antagônicas, porém para **Blake e Mouton**, essas características não seriam opostas, mas sim, limites de um território, e caberia ao líder combiná-las ou enfatizar determinada característica de acordo com a situação. Esta nova forma de se pensar liderança foi chamada de **liderança bidimensional**.

ÊNFASE NAS PESSOAS	1	2	3	4	5	6	7	8	9
9	1.9 Líder Clube de campo					Líder Gerência de equipes			9.9
8									
7									
6									
5					5.5 Líder Meio-termo				
4									
3									
2									
1	1.1 Líder Administração precária					Líder Gerência de tarefas			9.1
	1	2	3	4	5	6	7	8	9

GRAU DE ÊNFASE NA PRODUÇÃO

Líder clube de campo (1.9): é orientado fortemente para pessoas e minimamente para as tarefas. Nesta forma de liderar existe uma enorme preocupação com as pessoas e os relacionamentos, visando criar um ambiente agradável e confortável. Por outro lado, existe uma fraca cobrança por resultados.

Líder negligente / administração precária (1.1): é o líder que não se preocupa nem com as tarefas e nem com as pessoas. É ausente. Sua permanência como líder decorre de um mínimo esforço.

Líder meio-termo (5.5): é o líder que tem uma preocupação moderada com as tarefas e com as pessoas. Busca um equilíbrio entre a eficiência na tarefa e na manutenção da motivação e moral das pessoas.

Líder-equipe (9.9): existe uma atenção máxima tanto para as pessoas quanto para as tarefas. Procura liderar formando equipes profissionais, comprometidas e alinhadas. Para o autor, este é o modelo mais eficaz e recomendado.

Líder-tarefa (9.1): foco total em tarefas, que busca eficiência e produtividade. Neste modelo existe uma base fundada em autoridade e obediência, considerando minimamente as questões humanas.

Esta é uma teoria que evoluiu muito o modelo apresentado por **Tannenbaum e Schmidt**, régua da liderança, pois comprovou ser possível alinhar o foco nas tarefas e nas pessoas, simultaneamente. Como crítica, esta teoria foi questionada quanto à sua propositura do modelo perfeito (9.9), pois, para os estudiosos, não existe um modelo ideal, mas sim adequado para cada situação.

25. (FCC – 2016 – Copergás – PE – Analista administrador) A literatura aponta entre as teorias sobre liderança a denominada Teoria do Grid (ou grade) Gerencial, segundo a qual o gestor orienta a ação para dois aspectos essenciais:

    a) ênfase na produção e ênfase nas pessoas.

    b) programa de incentivos e rol de punições.

    c) alinhamento de objetivos e atingimento de metas.

    d) colaboração e comprometimento com resultados.

    e) foco no processo e visão de futuro.

    Questão muito tranquila, mas que serve como memorizadora. Nosso gabarito é a alternativa A, segundo a teoria, existem formas de se combinar a liderança considerando aspectos voltados para tarefas (ênfase na produção) e para pessoas (ênfase nas pessoas e nos relacionamentos).

4.20 Teoria situacional – Hersey e Blanchard

O modelo de liderança proposto por **Hersey e Blanchard** é conhecido mundialmente como **Teoria da Liderança Situacional (SLT –** *Situational Leadership Theory*). Para os referidos autores, a liderança é um processo similar com a educação de um pai para um filho, em que, à medida que os filhos se tornam mais maduros e responsáveis, os pais devem diminuir o controle, conforme explica **Robbins**.[41]

---

41. ROBBINS, Stephen P. *Comportamento Organizacional*. 11. ed. São Paulo: Pearson Prentice Hall, 2005, p. 267.

Esta teoria enfatiza duas dimensões: **foco nos liderados e prontidão dos liderados**. O foco nos liderados é no sentido de que, se os liderados não aceitarem o líder, pouco importa a sua condução, já a prontidão está relacionada às habilidades e desejo de realizar as tarefas (maturidade). Neste viés, **Maximiano (2012)** explica que "quanto mais maduro o seguidor, menos intenso deve ser o uso da autoridade pelo líder e mais intensa a orientação para o relacionamento. Inversamente, a imaturidade deve ser gerenciada por meio do uso "forte" da autoridade, com pouca ênfase em relacionamento".[42] Pensando de forma prática, podemos pensar que o funcionário que acabou de chegar à empresa ainda não tem a maturidade necessária e nem a habilidade para realizar as tarefas, portanto, precisa de um controle maior. Conforme cresce e adquire novas habilidades e mais responsabilidades, o controle deve diminuir.

O referido autor divide a sua teoria de liderança em quatro estágios, partindo do foco voltado para tarefas e poucos relacionamentos (para o funcionário novo, imaturo), e à medida que o funcionário vai se capacitando, o foco vai se dividindo com relacionamento, até que num estágio final tanto o foco nas tarefas quanto nos relacionamentos são baixos, formando um trabalho de delegação pautado em desafios e metas. Fica assim:

Estágio 01 – Comando: é o estilo de liderança **recomendado para as pessoas mais imaturas**, quando os empregados não possuem as habilidades necessárias ou não estão dispostos a trabalhar. O comportamento do líder deve ser autocrático, dando ordens diretas do que deve ser feito e de qual forma. O apoio moral aos relacionamentos pessoais deve ser mínimo, sendo assim, o **foco é alto em tarefas e baixo em relacionamentos**.

Estágio 02 – Persuasão: neste momento, o estilo de liderar deve ser pautado tanto em alto comportamento voltado para tarefas quanto para relacionamentos. Isto acontece porque se acredita que o funcionário, apesar de ainda ter pouca experiência ou conhecimento, já dispõe de certa vontade de assumir responsabilidades. Este é o momento de o líder continuar sendo diretivo, porém dar um apoio moral voltado aos relacionamentos, com a ideia de gerar motivação... entusiasmo.

Estágio 03 – Participação: neste estágio, o funcionário deve estar bem habiloso com as suas tarefas, por isso o foco volta-se apenas aos relacionamentos, portanto acontece um alto comportamento voltado para os relacionamentos e baixo para as tarefas.

Estágio 04 – Delegação: aqui se acredita que o funcionário já possui segurança, motivação e habilidades necessárias para remar o barco quase que sozinho, deixando

---

42. MAXIMIANO, Antonio C. Amaru. *Teoria Geral da Administração*. Edição compacta. 2. ed. São Paulo: Atlas, 2012, p. 216.

assim à disposição do líder a delegação das atividades, que deve estabelecer metas e grau de autoridade delegada. É uma ideia intimamente relacionada com a de dar desafios aos funcionários! Principalmente aos de longa data, para não sofrerem com a superespecialização. Este estágio de liderança é baseado num comportamento de baixa orientação para tarefas e para os relacionamentos.

Vamos praticar?

26. (CESGRANRIO – 2014 – Liquigás – Profissional júnior) Maria é dona de um restaurante e procura adotar diferentes estilos de liderança em função do nível de prontidão de seus funcionários. Recentemente, ela teve de dar orientações claras e específicas para o funcionário do caixa, que, embora estivesse motivado, apresentava certa incapacidade para realizar sua tarefa. Ao mesmo tempo, ela teve de ser apoiadora e participativa com dois garçons que sempre foram bastante capazes, porém estavam desmotivados. Qual teoria explica a liderança de Maria?

a) Teoria Comportamental.

b) Modelo Contingencial de Fiedler.

c) Teoria da Liderança Situacional.

d) Teoria do Caminho.

e) Teoria dos Traços.

Questão tranquila, mas nos permite entender como as bancas cobram e a quais palavras-chave devemos estar antenados. Matamos esta questão com duas percepções, a primeira quando se fala em **"nível de prontidão"** que está intimamente relacionado ao nível de maturidade dos funcionários. Outro momento que serviu como ratificação do nosso gabarito é quando a questão fala que o funcionário estava motivado, porém incapacitado, e assim o líder teve que adotar uma postura apoiadora (foco nos relacionamentos) e, ao mesmo tempo, dar orientações específicas (foco nas tarefas), fazendo clara alusão ao **estágio 02** da **Teoria Situacional**. Gabarito alternativa C.

4.21 Tomada de decisão

Todo bom líder tem que tomar decisões. Mantém a equipe ou reformula? Foca nas tarefas ou nas pessoas? Trabalha em equipes ou em grupos? O **processo decisório** dessas tomadas de decisões ocorre quando o gerente faz as suas escolhas, mas vale frisar que uma escolha feita não necessariamente é aceita pelos funcionários, neste viés, para **Bernard**, os gerentes devem saber que dependem dos funcionários para colocar em prática as suas decisões. Para o autor, a chefia deve manter um contato com a organização informal, como forma de estreitar os relacionamentos e melhorar a organização formal; montar uma sistemática de motivação e manutenção das pessoas, como planos de carreira e incentivos promocionais; formular e deixar claro a missão da organização e os objetivos estratégicos, tornando assim os funcionários mais coesos com o desejo da organização.

A tomada de decisão nem sempre é simples, pois muitas vezes os problemas são complexos e geram diferentes alternativas para o líder escolher. **Herbet Simon** vai de encontro quando propõe três fases para o processo decisório:

Prospecção: análise do problema que necessita de uma tomada de decisão.

Concepção: criação de alternativas para solucionar o problema.

Julgamento: escolha da alternativa a ser usada.

Na prática, podemos imaginar a seguinte situação: o carro do gerente quebrou. Ele, ao analisar o problema, percebeu que não teria conserto imediato (prospecção). Analisou e criou alternativas, traçando rotas de ônibus, analisando taxistas e até pensando em ir a pé. Como tinha bastante tempo e o trabalho não estava longe, resolveu ir a pé (julgamento).

4.22 Decisões programadas e não programadas

Uma das formas mais convencionais de se classificar as decisões é em programadas ou não programadas. As decisões programadas são aquelas que o administrador pode tomar com base nas experiências passadas, em fatos similares que já ocorreram. São decisões mais rotineiras, que não acontecem em função de algum fator muito exclusivo, mas sim de fatores comuns. Por exemplo, quando acontece de a empresa entregar um produto com defeito, o cliente pode solicitar a troca do produto ou em alguns casos a devolução do dinheiro. Como este tipo de ação é amparado por lei e acontece diversas vezes, cabe à empresa padronizar o processo decisório em relação a este assunto, programando ações e evitando desgastes. Agora, e as decisões não programadas? Essas representam o outro extremo, colocam em prática muitas vezes a criatividade e a intuição do administrador, que tem que tomar decisões sem um roteiro pré-estabelecido e sem uma certeza futura de que dará certo. São exemplos de decisões não programadas a redução do quadro de funcionários devido a uma forte crise comercial, ou até mesmo o lançamento relâmpago de uma promoção, visando acompanhar a concorrência que possa estar deslanchando. Vejam como este assunto já foi abordado:

27. (FGV – 2014 – Prefeitura de Florianópolis – SC – Administrador) As decisões gerenciais rotineiras e repetitivas, para as quais a organização desenvolve abordagens e soluções predefinidas – expressas em procedimentos, normas, regras

e mesmo na repetição de soluções previamente adotadas – são chamadas, nas teorias administrativas, de decisões:

a) racionais.

b) não programadas.

c) programadas.

d) intuitivas.

e) estratégicas.

Nosso gabarito é de fato a letra C, e com isso conseguimos perceber como as bancas abordam este assunto, em especial sobre as decisões programadas. Normas e regras são instrumentos usados na decisão programada.

4.23 O modelo de decisão racional

Conforme explica **Robbins**, o processo de decisão é dividido em 6 passos sequenciais.

Definição do problema: identificar o problema que requer a solução. Problemas normalmente são frutos de uma discrepância entre o que se deseja e o que se tem.

Identificação de critérios para a decisão: identificar os interesses e valores pessoais do tomador de decisões que serão levados em conta.

Atribuição de pesos para os critérios: atribuir pessoas para os interesses e valores ajuda o tomador de decisão priorizar as suas escolhas.

Definição de alternativas: definir as diversas alternativas. Aqui é feita apenas a composição da lista, não existe uma avaliação ou pré-julgamento.

Avaliação das alternativas: avaliar criticamente cada alternativa e classificá-la em função dos critérios estabelecidos.

Escolha da melhor alternativa: escolher a melhor alternativa pelo método **cálculo da decisão ótima**. Basicamente, cada alternativa é avaliada em relação aos critérios e os seus respectivos pesos.

Podemos contextualizar assim: Problema? Conseguir dinheiro para pagar a conta de luz (situação desejada é discrepante da situação existente). Critérios: pagar no dia por uma questão de honra e pagar no dia para ter crédito na praça. Pesos para os critérios: Crédito na praça 10 pontos, honra 8 pontos. Existem alternativas? **a)** fazer empréstimo no banco, **b)** vender um eletrodoméstico de casa. Avaliando as alternativas, a alternativa **a** gerará outra dívida, porém não abrirá mão de patrimônio, já a alternativa **b** não gerará outra dívida, porém abrirá mão de um patrimônio, entretanto pode ser um eletrodoméstico que a família não use. A escolha, considerando os critérios de crédito na praça e honra, e com base na análise das alternativas, foi a de vender um eletrodoméstico de pouco uso para quitar a conta de luz.

4.24 Racionalidade limitada

Este é um conceito simples, todavia essencial para o avanço da tomada de decisões. Anteriormente, acreditava-se que as decisões poderiam ser tomadas inteiramente racionalmente, porém com os avanços do estudo notaram-se que nenhum ser humano é capaz de considerar todas as variáveis de um contexto, sejam ligadas às alternativas da decisão, sejam ligadas aos critérios estabelecidos na hora de decidir algo.

Vamos contextualizar. Quando o gestor da empresa pretende trocar todos os computadores para atualizar o maquinário tecnológico da organização, será que ele leva em consideração todos os critérios técnicos? As especificações do produto, o tempo de instalação, a luminosidade dos monitores? Provavelmente não, e também deva deixar passar alguns critérios financeiros ou de outra seara. Isto acontece porque o ser humano tende a tomar decisões com base naquilo que ele consegue perceber ou interpretar, escolhendo decisões "suficientemente boas" dentro de um mundo que ele já conhece.

28. (UFMT– 2014 – UFMT– administração) Pedro Paulo, como gestor de uma organização, necessita tomar decisões e, ao escolher uma alternativa que se apresenta como a minimamente satisfatória, está tomando uma decisão denominada racionalidade:

    a) limitada.

    b) econômica.

    c) da representatividade.

    d) da disponibilidade.

    Nosso gabarito é a alternativa A. A ideia de racionalidade limitada foi desenvolvida por Herbert Simon e March, que acreditavam – muito certamente – que o homem não consegue dominar toda a complexidade do mundo, por isso tende a acatar a primeira decisão minimamente aceitável, ou "suficientemente boa".

4.25 Situação de risco, de incerteza ou de certeza

Este tema parece bem intuitivo, mas não é. E por isso as pessoas erram! As situações de certeza são as mais fáceis de entender, pois de fato são as situações em que temos total controle da situação, possuímos todas as informações necessárias para inferir determinado pensamento, e em um processo decisório escolher a alternativa mais adequada.

O que pega neste tópico é a diferença entre uma situação de risco e uma situação de incerteza, por isso vamos analisá-las com calma.

Situação de risco: acontece quando não temos todas as informações necessárias para inferir uma certeza, porém temos dados suficientes para calcularmos uma **probabilidade**, que pode variar entre 0 a 100%. Um exemplo é a probabilidade de determinado produto de uma organização dar defeito, imaginem que seja de 3%. Outro exemplo é a probabilidade de cura de determinado remédio para alguma infecção, podendo ser 98%. Ambas as situações citadas são exemplos de situações de risco, independente de a porcentagem estar próxima ou distante do sucesso, falamos que são situações de risco.

Situação de incerteza: além de não existirem as informações necessárias para inferirmos uma certeza, também não dispomos de dados para calcularmos alguma probabilidade de sucesso ou insucesso. Por exemplo, caso fosse lançado um remédio sem nenhum teste de eficácia de sua fórmula, talvez não teríamos nenhuma informação que nos ajudasse a calcular a probabilidade de sua eficiência. Claro que este exemplo é absurdo, e estou descartando todas as outras variáveis como a sua própria composição, mas é apenas ilustrativo para demonstrar que na situação de incerteza não existem dados que possibilitem calcular uma probabilidade.

Isso já foi cobrado da seguinte forma:

29. (FCC– 2011 – Copergás – PE – Analista – Administrador) Uma decisão é tomada em condições de risco quando:

a) pode acarretar danos irreparáveis aos estados de natureza que são objetos da ação.

b) as estratégias e os estados da natureza são determinados pela ação de dois ou mais competidores.

c) é desconhecida a probabilidade associada aos eventos, pois não se conhece o total de estados da natureza possíveis.

d) há pleno conhecimento de todos os estados da natureza.

e) as probabilidades associadas a cada um dos estados de natureza são conhecidas, podendo variar de 0% a 100%.

A alternativa A está errada, pois existem muitas decisões de risco que não geram o risco de dano irreparável. Por exemplo, uma cirurgia que tenha 95% de chance de dar certo e 5% de chance de dar errado, mas que, mesmo dando errado, ainda exista reparação. A alternativa B está errada, a decisão pode ser tomada por uma pessoa, por um grupo ou até por uma equipe, e não é isso que define a estratégia ou o estado de risco. A alternativa C está mais associada à situação de incerteza, pois diz não ser possível calcular a probabilidade do decorrer dos eventos. A alternativa D define a situação de certeza. A alternativa E é o nosso gabarito e demonstra como as bancas cobram a definição da situação de risco, indo de encontro à nossa explicação.

4.26 Estilos de decisão

Teorias contemporâneas apontam para um modelo decisório que permite quatro estilos diferentes de se tomar uma decisão. Este modelo baseia-se em duas dimensões, a primeira representando o grau de ambiguidade (de uma decisão poder ser tomada por mais de uma alternativa e gerar mais de um resultado) e a segunda representando o modo de pensar do tomador de decisões, podendo ser mais voltado à criatividade ou à racionalidade. Isto gera a seguinte representação gráfica:

	Racional	Criativo
AMBIGUIDADE Alta	Analítico	Conceitual
Baixa	Diretivo	Comportamental

MANEIRA DE PENSAR

FIGURA 4.6 – Estilos de decisão.

Estilo diretivo: para o tipo de pessoas que decidem de forma diretiva, a tolerância à ambiguidade é baixa e busca-se pensar de maneira lógica. O problema deste estilo é que o tomador de decisões se ampara em poucas informações e considera menos alternativas ainda, pautando as suas escolhas sem considerar muito o sistema e voltadas para o curto prazo.

Estilo analítico: aqui temos um pensador nato. É o cara que considera o maior número de informações possíveis e ainda pensa de maneira lógica e racional. Para **Robbins**, "o executivo do tipo analítico poderia ser descrito como um tomador de decisões cuidadoso e capaz de se adaptar ou de enfrentar novas situações".[43]

Estilo conceitual: muita criatividade e coleta de informações. Neste quadrante, enquadram-se os tomadores de decisão de longo prazo, que pensam no futuro e de forma ampla. São perfeitos para problemas de difícil resolução em que não pese apenas a racionalidade formal, mas sim um processo inovador e criativo de se pensar. São normalmente líderes sociais.

Estilo comportamental: este estilo é representado pelos líderes que pensam no bem-estar e na aceitação dos subordinados. As decisões não consideram todas as

---
43. ROBBINS, Stephen P. *Comportamento Organizacional*. 11. ed. São Paulo: Pearson Prentice Hall, 2005, p. 120.

informações disponíveis, pois são voltadas a evitar conflitos em grupos. Muitas vezes, o tomador de decisão aceita as sugestões dos próprios envolvidos.

Por fim, outro assunto que hora ou outra é cobrado em prova são as ideias de **processo linear e processo sistêmico**. De forma objetiva, o **processo linear** corresponde a pensar de maneira específica, desconsiderando todo o contexto à sua volta. Para esse modo de pensar, os problemas possuem apenas uma solução e essa decisão afetará apenas a área específica da empresa. Por exemplo, se uma máquina da empresa quebra, existe apenas um modelo para substituir e esta decisão afetará apenas a fábrica. Já o **processo sistêmico** entende as situações de maneira ampla, de maneira contextualizada, de forma que o problema influencie à volta da organização, assim como a organização influencie ao problema. Para este modo de pensar, os problemas possuem diversas alternativas e as decisões influenciam muito mais do que apenas na área do problema em si, além disso, na visão sistêmica os problemas são inter-relacionados e o ambiente é mutável, podendo assim considerar ou desconsiderar novas e velhas alternativas. Imagine o mesmo exemplo da fábrica, a máquina poderia ser reparada ou até mesmo trocada por de outra marca, por outro lado a área financeira teria gastos e a equipe de marketing poderia ter que readaptar a propaganda caso o fornecedor da nova máquina tivesse uma nova corrente, como por exemplo "mundo verde".

Vamos praticar um pouco?!

30. (FUMARC – 2013 – PC-MG – Analista da polícia civil – administração) São considerados modelos de estilo decisório, EXCETO:

   a) diretivo.

   b) privativo.

   c) analítico.

   d) conceitual.

   Esta é uma questão que depois da teoria parece bem fácil, não é mesmo? Mas para o candidato despreparado, é muito provável que ele não pense na opção privativo como gabarito. Nossa resposta é a alternativa B, não existe o modelo de estilo decisório privativo.

31. (FGV – 2016 – CODEBA – Técnico Portuário – Apoio Administrativo) O processo de tomada de decisão em uma organização pode adotar diversos estilos que variam em orientação – pessoas ou tarefas – e complexidade cognitiva – alta ou baixa. Essas diferenças são, em geral, ligadas às características dos líderes, responsáveis por conduzir esse processo.

   Assinale a opção que apresenta os estilos de tomada de decisão orientados para pessoas, independentemente da sua complexidade cognitiva.

a) comportamental e conceitual.

b) diretivo e analítico.

c) analítico e conceitual.

d) diretivo e comportamental.

e) comportamental e analítico.

Nesta questão, devemos levar em conta que a orientação voltada para tarefas ou para pessoas está intimamente relacionada à orientação racional (tarefa) e criativa (pessoas), assim como a complexidade cognitiva está relacionada à ambiguidade, conforme propõe Robbins. Isto quer dizer que, quando a banca fala em orientação para tarefas, ela pensa no modo de pensar racional, já quando fala em orientação voltada para pessoas, ela pensa no modo de pensar criativo. Partindo deste princípio, fica mais fácil, no modelo apresentado por **Robbins**, os estilos de tomada de decisão voltado, para a criatividade (pessoas) são o comportamental e conceitual. Gabarito letra A.

32. (ACAFE– 2009 – MPE-SC – Analista do Ministério Público) Um modelo que define uma tipologia de estilos de tomada de decisão foi desenvolvido por Alan Rowe. Tal modelo assume que os tomadores de decisão diferem em duas dimensões: orientação para a tarefa (foco do desempenho) e orientação para as pessoas (foco nas relações interpessoais). A combinação dessas duas dimensões permite identificar quatro estilos de tomada de decisão. O estilo característico de pessoas lógicas, focadas no curto prazo, eficientes, orientadas para o desempenho e com baixa complexidade cognitiva é o:

a) autocrático.

b) analítico.

c) comportamental.

d) conceitual.

e) diretivo.

A alternativa A não é um modelo de estilo decisório. A alternativa B representa o líder altamente racional e ambíguo (alta complexidade cognitiva). A alternativa C, estilo comportamental, representa o líder com baixa racionalidade e baixa complexidade cognitiva; já a alternativa D apresenta o líder com baixa racionalidade, pois é mais focado nas pessoas e na criatividade, porém com alta complexidade cognitiva. Nosso gabarito é a alternativa E, o estilo diretivo de decisão representa o líder racional, porém que trabalha com poucas informações, com complexidade cognitiva baixa.

Agora vamos praticar as questões deste tema de maneira mais genérica ou misturada. Lembrem-se, a teoria sem a prática é esquecida facilmente.

33. (FDC– 2011 – CREMERJ – Administrador) O processo de direcionar o comportamento dos indivíduos através da comunicação, para a realização de algum objetivo, é chamado de:

a) valência.

b) liderança.

c) motivação.

d) expectativa.

e) cooperação.

Conforme estudamos, a ideia de conduzir e influenciar os indivíduos para determinado objetivo está associada ao instituto da liderança, por isso o nosso gabarito é a alternativa B.

34. (IESES– 2016 – BAHIAGÁS – Analista de Processos Organizacionais – Administração ou Ciências Econômicas) Chiavenato, 2003, p. 174-175, afirma que a Direção "constitui a terceira função administrativa e vem logo depois do planejamento e da organização (...) e que é o papel da direção: acionar e dinamizar a empresa. A direção está relacionada com a ação, com o colocar-se em marcha, e tem muito a ver com as pessoas". "Como não existem empresas sem pessoas, a direção constitui uma das mais complexas funções administrativas". Chiavenato afirma que "dirigir significa interpretar os planos para os outros e dar instruções sobre como executá-los em direção aos objetivos a atingir". A direção, segundo Chiavenato, pode se dar em três níveis distintos, e apenas uma das alternativas abaixo apresenta um destes níveis. Esta alternativa é:

a) direção no nível burocrático.

b) direção no nível formal.

c) direção no nível departamental.

d) direção no nível de atuação.

e) direção no nível de controle.

Essa é uma questão bem recente e aborda um assunto que até pouco tempo atrás não era tão cobrado. Assim como o planejamento e a organização podem ser representados por níveis, a direção também pode, e é representada por direção global, direção departamental e direção operacional, correspondentes respectivamente ao planejamento estratégico, tático e operacional. Nosso gabarito é a alternativa C, a direção dentro de um departamento acontece como forma de condução do planejamento tático.

35. (IESAP – 2015 – EPT – Maricá – Consultor de manutenção) Pedro Falcão, Consultor de Manutenção, é um líder que, por meio de sua visão pessoal e de sua energia, inspira os colaboradores transformando-os em seguidores e conseguindo com isso um impacto significativo no aumento dos índices de produtividade.

Pode-se afirmar que Pedro é um líder:

a) autoritário.

b) patriarcal.

c) carismático ou transacional.

d) carismático ou transformacional.

O líder autoritário é o líder que extrapola da autocracia e age com autoritarismo. O líder patriarcal está associado ao paternalista, que tem a empresa como familiar e que ele – por ser o patriarca – decide por todos. O líder carismático está associado com a visão de liderança visionária, com sonhos, grandes ideias, e por isso este conceito melhor se encaixa como o líder transformacional, que conquista os liderados com ideias transformadoras, com objetivos que vão de encontro com os da organização, mas também com os das pessoas. Já o líder transacional é aquele que trabalha na base de trocas e recompensas. Nosso gabarito é a alternativa D.

36. (IESAP – 2015 – EPT – Maricá – Consultor de manutenção) Líderes eloquentes, aos quais se atribuem capacidades heroicas e extraordinárias e que despertam admiração e encantamento em seus liderados, são denominados líderes

a) carismáticos.

b) tradicionais.

c) democráticos.

d) autocráticos.

e) racionais.

Questão parecida com a anterior. Como vimos, o líder carismático desperta sonhos, visões, admiração e, portanto, é o nosso gabarito – alternativa A.

37. (CEPERJ – 2014 – SEAP-RJ – Técnico de Nível Superior) A teoria segundo a qual as consequências do comportamento de uma pessoa determinam o nível de motivação é a teoria:

a) da expectância.

b) da avaliação cognitiva.

c) dos fatores higiênicos.

d) do reforço.

e) da equidade.

Quais consequências de determinado comportamento gerará pelo chefe Punição? Elogio? Incentivo? A teoria de motivação que se baseia nas consequências dos atos dos indivíduos é a teoria do reforço, proposta por Skinner. Gabarito alternativa D.

38. (FDC – 2011 – CREMERJ – Administrador) A teoria motivacional fundamenta-se na percepção de justiça ou injustiça que um indivíduo possui no trabalho e na sua reação, que pode levar a mudanças de seu comportamento. Essa teoria é a da:

a) hierarquia das necessidades.

b) imaturidade-maturidade.

c) necessidade-meta.

d) expectativa.

e) equidade.

Lembram-se dessa? A ideia de justiça ou injustiça está relacionada à necessidade do indivíduo de igualdade, justiça e equilíbrio. A teoria que contempla este estudo é a teoria da equidade, portanto o gabarito é a alternativa E. Para **Adams**, o ser humano se sente motivado quando percebe uma troca justa de esforço x recompensa.

39. (CESPE – 2011 – STM – Analista Judiciário – Psicologia) A teoria da equidade e a teoria da expectativa podem ser consideradas teorias de processo da motivação no trabalho.

Certo, são teorias que tentam explicar **como** o processo de motivação acontece, sendo para a teoria da equidade um processo de justiça entre esforço e recompensa, e para a teoria da expectativa um processo mais complexo, levando em consideração o esforço, o desempenho, o resultado e a relação de causa e efeito entre cada um desses atributos. Para grande parte dos autores, a teoria da expectativa é a teoria mais completa da motivação, mas há ainda quem discorde, além de autores que tentam modificá-la e deixá-la mais completa.

40. (FGV – 2015 – DPE-RO – Analista da Defensoria Pública – Analista em Administração) Uma pesquisa sobre valores e expectativas de recompensa no trabalho, realizada junto a uma equipe, apresentou os seguintes resultados: os membros da equipe desejam mais autonomia para a realização do trabalho; consideram que o feedback da chefia é lento e insuficiente; a maioria se considera capaz e gostaria de assumir mais responsabilidades do que as que têm no momento; percebem que seus esforços são recompensados da mesma forma que os esforços dos colegas. De acordo com as teorias de motivação, os membros da equipe apresentam necessidade de:

a) poder e percepção de equidade.
b) poder e percepção de iniquidade.
c) realização e percepção de equidade.
d) realização e percepção de iniquidade.
e) afiliação e percepção de equidade.

Para resolver esta questão, é necessário conhecer a teoria das 3 necessidades e a teoria da equidade, e, por sorte, já estudamos ambas. Quando os funcionários se mostram inclinados a novos desafios, estamos falando da necessidade de realização, que nasce daquele desejo por novos objetivos, desafios, metas. Quando a questão diz "seus esforços são recompensados da mesma forma que os esforços dos colegas", ela prega a ideia de equidade, justiça, equilíbrio. Nosso gabarito é a alternativa C.

Questões propostas

41. (CESPE – 2010 – ABIN – Oficial Técnico de Inteligência – Área de Psicologia) Consoante às teorias da equidade, do reforço e da expectância, um dos agentes motivadores nos ambientes organizacionais consiste no valor da remuneração.

42. (CESPE – 2010 – ABIN – Oficial Técnico de Inteligência – Área de Psicologia) De acordo com a teoria da equidade, a motivação pessoal depende do esforço empreendido para alcançar determinado objetivo e da atração que esse resultado exerce sobre o indivíduo.

43. (CESPE – 2010 – ABIN – Agente Técnico de Inteligência – Área de Administração) De acordo com a teoria da equidade, a motivação no ambiente de trabalho ocorre quando um funcionário reconhece que a organização lhe paga salário melhor que a média salarial de mercado.

44. (CESPE – 2014 – MEC – Especialista em regulação da educação superior) As teorias do reforço, das necessidades, da avaliação cognitiva, da equidade e da expectativa são consideradas teorias da motivação.

45. (FCC – 2010 – TER-RS – Analista Judiciário – Psicologia) As teorias de motivação classificadas como teorias de conteúdo focalizam

a) aquilo que motiva as pessoas a desempenhar funções.

b) os impulsionadores racionais que levam as pessoas a trabalharem.

c) os estímulos emocionais que fazem com que as pessoas busquem resultados diferenciados no ambiente de trabalho.

d) a dinâmica ou aspectos do processo da motivação do trabalho.

e) a equidade, reforço e aprendizagem social que geram boas práticas de trabalho a serem aplicadas por todos os funcionários de uma empresa.

46. (FGV – 2014 – Prefeitura de Osasco – SP – Oficial administrativo) O ser humano é avesso ao trabalho e o evitará sempre que puder e, por conseguinte, a administração precisa incrementar a produtividade, os esquemas de incentivo e denunciar a restrição voluntária. Essa afirmativa considera a Teoria:

a) X.

b) de Maslow.

c) de Simon.

d) de Weber.

e) de Fayol.

47. (CAIP-IMES – 2015 – DAE de São Caetano do Sul – SP – Analista administrativo) Após exaustivas pesquisas _____ emitiu o conceito do reforço no comportamento, ou seja, o trabalhador que experimenta o sucesso após assumir uma atitude tende a repetir aquela atitude, na espera de um novo sucesso. Resumindo, um comportamento recompensado tende a ser repetido.

a) Skinner.

b) Maslow.

c) McGregor.

d) Blanchard.

48. (VUNESP – 2012 – SPTrans – Analista de Marketing Pleno) _____ formulou uma hierarquia de necessidades biogênicas e psicogênicas que especifica níveis de motivos.

Assinale a alternativa que completa corretamente a sentença.

a) Skinner.

b) Kotler.

c) Shapiro.

d) Keller.

e) Maslow.

49. (FEPESE – 2014 – MPE-SC – Analista do Ministério Público) Analise o texto abaixo:

_____ contribuiu para a Teoria da Motivação e desenvolveu um modelo contingencial de motivação, argumentando que a motivação é um processo que governa as escolhas entre diferentes possibilidades de comportamento do indivíduo, que avalia as consequências de cada alternativa de ação e satisfação, que deve ser encarada como resultante de relações entre as expectativas que a pessoa desenvolve e os resultados esperados. O autor desta teoria, denominada _____, baseou-se na observação de que o processo motivacional não depende apenas dos objetivos individuais, mas também do contexto de trabalho em que o indivíduo está inscrito.

Assinale a alternativa que completa corretamente as lacunas do texto.

a) W. Ouchi · teoria Z.

b) Maslow · Endomarketing.

c) V. Vroom · teoria das expectativas.

d) Maslow · hierarquia das necessidades.

e) McClelland · teoria da necessidade de realização.

50. (FCC – 2010 – METRÔ-SP – Analista Treinee – Psicologia) Segundo Abraham Maslow, uma necessidade satisfeita deixa de:

a) reconhecer uma ação de satisfação.

b) motivar o comportamento.

c) acionar o comportamento.

d) acionar um reforço positivo.

e) bloquear o sistema de satisfação social.

51. (COPESE – UFT – 2013 – Prefeitura de Palmas – TO – Técnico Administrativo Educacional) Marque o fundamento que NÃO se relaciona à Teoria das Hierarquias das Necessidades de Maslow:

a) Somente quando um nível inferior de necessidades está satisfeito é que o imediatamente mais elevado surge no comportamento da pessoa.

b) O comportamento funciona como um canal através do qual as necessidades são expressas ou satisfeitas.

c) Todas as pessoas conseguem chegar ao topo da pirâmide das necessidades.

d) Cada pessoa possui mais de uma motivação, e todos os níveis atuam conjuntamente no organismo.

52. (CESPE – 2008 – INSS – Analista do Seguro Social – Pedagogia) A liderança exercida em decorrência de qualidades natas do líder é denominada liderança liberal.

53. (CESPE – 2010 – SEDU-ES – Professor P – Pedagogo) A liderança democrática contrapõe-se à liderança autoritária, sobretudo pela forma de condução compartilhada do processo decisório.

54. (CESPE – 2012 – TJ-RO – Analista Judiciário – Pedagogia) O líder que concede aos grupos ou indivíduos total liberdade para a tomada de decisões exerce tipicamente a:

a) liderança situacional.

b) liderança emergente.

c) liderança liberal.

d) liderança democrática.

e) liderança autocrática.

55. (CESGRANRIO – 2012 – Petrobrás – Psicólogo Júnior) Ao confrontar a tomada de decisão em grupo com a tomada de decisão individual, constata-se que a tomada de decisão em grupo:

a) é mais eficiente que a tomada de decisão individual.

b) é menos indicada que a tomada de decisão individual quando se precisa da aceitação de cada uma das pessoas do grupo em relação à decisão escolhida.

c) é menos indicada que a tomada de decisão individual porque um grupo não tem como superar o desempenho do seu membro mais competente.

d) é mais indicada que a decisão individual quando é preciso gerar conhecimentos mais completos.

e) é mais indicada que a decisão individual quando é preciso estabelecer responsabilidades claras.

56. (FUMARC – 2013 – PC-MG – Analista da Polícia Civil – Administração) A _____ é um processo inconsciente gerado pelas experiências vividas. Esse processo não funciona necessariamente como uma alternativa ao método racional; na verdade, eles são complementares.

A expressão que preenche a lacuna, tornando-a CORRETA, é:

a) intuição perceptiva.
b) tomada de decisão intuitiva.
c) racionalidade administrativa.
d) tomada de decisão aleatória.

57. (CESPE – 2013 – ANTT – Analista Administrativo – Comunicação Social) As razões que justificam a tomada de decisão devem ser tão importantes quanto as que justificam a tomada da não decisão, levando-se em consideração aspectos como poder, influência, autoridade, vantagens, desvantagens e circunstâncias.

58. (FGV – 2014 – DPE-RJ – Técnico Superior Especializado – Administração) As organizações nunca podem ser perfeitamente racionais, porque seus membros têm habilidades limitadas de processamento de informações. Esse enfoque organizacional refere-se à:
a) estratégia.
b) *accountability*.
c) dominação.
d) governança.
e) tomada de decisão.

59. (CESPE – 2012 – MCT – Analista em Ciência e Tecnologia Pleno) Com relação aos modelos de tomada de decisão e ao neoinstitucionalismo, julgue o item seguinte. Na abordagem racional de tomada de decisões, a definição dos meios e fins é uma etapa que ocorre simultaneamente ao processo de escolha.

60. (CESPE – 2008 – HEMOBRÁS – Analista de Gestão Administrativa – Administrador) Considere que um diretor opte pela utilização de um grupo de empregados na tomada de decisão, acerca de assunto crucial para a organização. Nesse caso, sua opção trará como vantagens ter mais informações, mais pontos de vista a respeito do assunto e maior comprometimento com a decisão tomada.

61. (CESPE – 2011 – TJ-ES – Analista Judiciário – Psicologia) Em organizações geridas conforme a concepção transformadora, a tomada de decisão procede do nível hierárquico superior para o inferior.

62. (COMPERVE – 2015 – UFRN – Assistente em Administração) A liderança baseia-se na capacidade de uma pessoa influenciar outras para agir de forma a atingir metas pessoais e organizacionais, para que haja um bom desempenho em determinada função administrativa. Essa função é denominada de:

a) acompanhamento.
b) organização.
c) planejamento.
d) direção.

63. (IADES – 2014 – UFNA – Assistente em Administração) O processo administrativo, composto pelas funções administrativas, tem por fim a execução da estratégia empresarial. A esse respeito, assinale a alternativa correta quanto à denominação da função administrativa que se relaciona diretamente com a maneira como os objetivos empresariais devem ser alcançados, ou seja, a condução das atividades dos colaboradores que atuam internamente dentro das fronteiras empresariais.

a) Organização.
b) Retroalimentação.
c) Controle.
d) Direção.
e) Planejamento.

64. (IFC – 2012 – IFC-SC – Auxiliar Administrativo) Considerando o cenário da administração, a função administrativa, que trata das relações interpessoais dos administradores em todos os níveis da organização e de seus respectivos subordinados, é denominada função de:

a) agente.
b) direção.
c) psicólogo.
d) instrutor.
e) contador.

65. (Instituto AOCP – 2014 – UFSM – Assistente Administrativo) O padrão total das ações explícitas e implícitas dos líderes conforme visto pelos funcionários é chamado estilo de liderança. Assinale a alternativa que apresenta o estilo de liderança caracterizado pela descentralização da autoridade.

a) Liderança positiva.

b) Liderança negativa.

c) Liderança autocrática.

d) Liderança consultiva.

e) Liderança participativa.

66. (CESPE – 2004 – TJ-AP – Analista Judiciário – Área Administrativa) Na abordagem de Fiedler, a liderança eficaz está relacionada com a combinação entre o estilo de liderança e a situação existente na organização, em termos de controle e influência do líder, ou seja, como o poder e as relações líder-membro.

67. (UNIMONTES – 2010 – Prefeitura de Montes Claros – MG – Administrador) Ao tratar sobre as teorias da liderança, o modelo do "Grid Gerencial", desenvolvido por Robert Blake e Jane Mouton para ajudar a medir a preocupação relativa do administrador com as pessoas e as tarefas, reflete a natureza bidimensional da liderança. Ao desenvolver um trabalho de consultoria em uma empresa de alimentos e bebidas, a consultora Jeanete identificou que essa empresa apresenta um estilo de liderança do tipo 9,1. Essa constatação permite afirmar que, nessa empresa,

a) a atenção se concentra nas necessidades das pessoas, pois relacionamentos satisfatórios conduzem a uma atmosfera confortadora e a um ritmo de trabalho de organização cordial.

b) é possível um desempenho adequado da organização através do equilíbrio entre a necessidade de fazer o trabalho e a manutenção do moral das pessoas num nível satisfatório.

c) exercer o esforço mínimo necessário para realizar o trabalho exigido é apropriado para manter a participação na organização.

d) a eficiência nas operações resulta de se fazer um arranjo das condições de trabalho de tal modo que os elementos humanos interfiram num grau mínimo.

68. (PUC-PR – 2012 – DPE-PR – Administrador) Beltrano é gestor de uma equipe num órgão público. Na sua gestão, dedica parte do tempo para ações como: apresentar aos funcionários o que se espera deles, fornecendo-lhes orientação para a execução das tarefas; fixar metas de desempenho; e assegurar que as pessoas sigam regras e regulamentos padronizados. Tais condutas permitem elevado grau de previsibilidade e controle dos processos e resultados desempenhados

pelos membros da equipe. Sobre o estilo de liderança adotado por Beltrano, marque a alternativa CORRETA:

a) liderança de apoio.

b) liderança participativa.

c) liderança transacional.

d) liderança diretiva.

e) liderança contingencial.

69. (CESPE – 2013 – MPOG – Técnico de Nível Superior) Uma organização que vise proporcionar maior participação e motivação a seus colaboradores deverá enfatizar a descentralização.

70. (CCV-UFC – 2015 – UFC – Assistente em Administração) Em sua proposição de liderança situacional, Tannenbaum e Schmidt propuseram três critérios para avaliar uma situação de liderança em uma tarefa. Estes critérios seriam:

a) o perfil do líder, o histórico do líder e o cargo do líder.

b) o próprio líder, os liderados e a situação da tarefa (clima organizacional, tempo).

c) a situação política do País, a situação econômica da organização e a situação salarial do líder.

d) a situação econômica da organização, a situação salarial do líder, a situação salarial dos liderados.

e) a posição hierárquica do líder, a situação econômica da organização, a situação econômica do país.

Capítulo 4 – Gabarito

Questão	Resposta
01	A
02	B
03	A
04	C
05	E
06	C
07	E
08	E
09	D
10	C
11	E
12	C
13	D
14	C
15	E
16	E
17	E
18	C
19	C
20	A
21	C
22	D
23	E
24	B

Questão	Resposta
25	A
26	C
27	C
28	A
29	E
30	B
31	A
32	E
33	B
34	C
35	D
36	A
37	D
38	E
39	C
40	C
41	C
42	E
43	E
44	C
45	A
46	A
47	A
48	E

Questão	Resposta
49	C
50	B
51	C
52	E
53	C
54	C
55	D
56	B
57	C
58	E
59	E
60	C
61	E
62	D
63	D
64	B
65	E
66	C
67	D
68	D
69	C
70	B

Controle e ferramentas de auxílio 5

5.1 Avaliação, comparação e correção

Já falamos do planejamento, da organização e da direção, restando falar da última função do processo administrativo, o controle. Basicamente, o controle existe para assegurar o cumprimento do que foi planejado, organizado e dirigido, em outros termos é a função responsável por verificar se o que foi planejado vem se cumprindo, até por isso encontramos em provas expressões como **avaliação e comparação** – do que foi planejado com a situação atual. Em situações de divergência do que foi planejado com o que vem acontecendo, cabe ao controle corrigir os desvios. Vamos pensar de forma prática: você, *concurseiro*, organizou um grupo de cinco estudantes para estudarem juntos para determinada prova, planejaram os objetivos e as metas, traçaram a estratégia, organizaram os recursos materiais, financeiros, humanos e de tempo, e você, como líder, dirigiu o grupo, liderando e motivando os integrantes. Acontece que, no dia da prova, nenhum dos candidatos passou. Algo deu errado, não é mesmo? Cabe à função do controle rever o que não deu certo, até, por isso, entendemos que as funções são contínuas e infinitas, pois devem se adaptar às necessidades do tempo e do ambiente constantemente.

Isso já caiu em prova desta maneira:

1. (FUNCAB – 2016 – EMSERH – Auxiliar administrativo) As funções administrativas são as próprias funções do administrador. Elas englobam os chamados elementos da administração. O elemento da administração que cuida de verificar que tudo ocorra de acordo com as regras estabelecidas e as ordens dadas é:

    a) coordenar.

    b) controlar.

    c) organizar.

    d) comandar.

    e) prever.

Questão tranquila, não tem erro, a resposta é a alternativa B. O controle serve como verificação mesmo e compara o que foi planejado (as regras estabelecidas e as ordens dadas) com o que vem acontecendo.

5.2 Fases do controle

Para **Chiavenato (2004)**, o controle é um processo cíclico e é representado por quatro fases[44]:

Estabelecimento de padrões ou critérios: neste primeiro momento é necessário definir qual desempenho se espera (padrão) e quais critérios serão adotados para decidir se o resultado é ou não aceitável. De forma mais prática, a ideia aqui é a seguinte: é preciso saber aonde quer chegar e como se quer chegar para poder controlar, certo?

Observação do desempenho: a ideia aqui é a monitoria do desempenho e a coleta de informações. Contextualizando, se não tivermos dados, como poderemos medir os nossos resultados? Compararemos o que com o padrão?

Comparação do desempenho com o padrão: agora que já temos dados do momento atual podemos comparar com o que foi previamente estabelecido como padrão. É importante carregar o entendimento de que toda ação tem variação, mas nem toda variação deve ser corrigida. **Chiavenato (2004)** explica que os critérios estabelecidos servem como parâmetro sobre o desvio estar ou não dentro da normalidade. Algumas ferramentas de auxílio podem ajudar o administrador neste momento, como índices de desempenho, gráficos, relatórios e outros dados estatísticos.

Ações corretivas: este é o momento do ajuste. Os desvios que estão fora do parâmetro de normalidade devem ser corrigidos para que os objetivos pretendidos sejam alcançados.

Entre as diferentes formas, este assunto já foi cobrado da seguinte maneira:

2. (BIO-RIO – 2014 – CRMV-RJ – Auxiliar administrativo) Em relação à função controle, as seguintes afirmativas estão corretas, EXCETO:

a) deve ser entendido como uma função administrativa, como o planejamento, a organização e a direção.

b) pode ser definido como a função administrativa que consiste em medir e corrigir o desempenho de colaboradores para assegurar que os objetivos da empresa e os planos delineados para alcançá-los sejam realizados. É, pois a função

---

44. CHIAVENATO, Idalberto. *Introdução à Teoria Geral da Administração*. 7. ed. Rio de Janeiro: Elsevier, 2004, p. 176-178.

segundo a qual cada administrador, do presidente ao supervisor, certifica-se de que aquilo que é feito está de acordo com o que se tencionava fazer.

c) está pouco relacionado com o planejamento, a direção e a organização.

d) podem ser classificados, de acordo com o nível da empresa onde ocorrem, em controle estratégico, controle tático e controle operacional.

e) um possível modelo básico de controle prevê as seguintes três fases: coleta de dados sobre o desempenho, comparação dos dados com um padrão e ação corretiva.

A alternativa A está correta e por isso não é o nosso gabarito, a função de controle é a quarta dentro da escola neoclássica (planejar, organizar, dirigir e controlar), base de como o processo administrativo é entendido. A alternativa B está correta e explica como o controle acontece, os verbos de ordem desta função são "verificar, ajustar, avaliar, comparar e corrigir" tendo como base o planejado. A alternativa C está errada, e portanto é o nosso gabarito. O controle está intimamente relacionado com as demais funções, até porque ele serve como tentativa de assegurá-las. A alternativa D está correta pois, assim como o planejamento e as demais funções podem ser divididas em relação ao nível da empresa, o controle também pode. Controle estratégico diz respeito à cúpula da empresa quando controla o seu planejamento estratégico, controle tático refere-se ao controle dos planos departamentais, e controle operacional está associado ao controle das tarefas e atividades básicas do dia a dia. A alternativa E está correta, pois apresenta um modelo simplificado das fases do controle. Nosso gabarito é de fato a alternativa C, já que a questão pede a alternativa incorreta.

5.3 Tipos de controle

A explicação deste tópico fica pautado em **Sobral e Peci (2008)**. Para os autores, o controle pode ser preventivo, simultâneo e posterior.

Controle preventivo: a ideia aqui é de ser **proativo**, antecipar os possíveis problemas. Como exemplo, temos as regras e os manuais, que servem como padrão de conduta a ser seguido, visando alcançar determinado desempenho. Outro clássico exemplo do controle preventivo são os processos de seleção de recursos humanos dentro de uma empresa, pois espera-se selecionar o perfil do candidato adequado para a especificidade de determinado cargo. **Sobral e Peci (2008)** explicam que este é o controle mais desejado, porém o mais difícil, pois nem sempre o administrador dispõe de todas as informações necessárias. O controle preventivo tem orientação para o futuro, visa evitar erros e desvios.

Controle simultâneo: diferente do controle preventivo, o controle simultâneo é **reativo**, pois é necessário que ocorra o problema para que uma solução seja realizada. Na prática, este controle é um acompanhamento contínuo que tem grande foco no processo, corrigindo os problemas ao passo que acontecem. O principal exemplo é a supervisão direta, muito defendida por **Taylor** e autores da época, porém – principalmente – após o lançamento do sistema **toyotista de produção**, a supervisão direta perdeu força e os sistemas de controle automáticos prevaleceram.

Controle posterior: neste tipo, o controle acontece depois da atividade propriamente dita. A ideia aqui não é a correção imediata do desvio, mas sim a identificação do problema para evitar que ele se repita no futuro. Bons exemplos são o controle de qualidade da fábrica e os demonstrativos financeiros, pois levam em consideração os resultados do processo depois de ocorridos. No primeiro caso, os produtos podem ser melhorados, já no segundo caso, pode-se estudar os resultados financeiros e montar uma adequação.

Em síntese:

Controle Preventivo	Controle Simultâneo	Controle Posterior
■ Proativo ■ Antecipa problemas Ex.: Seleção de recursos humanos	■ Reativo ■ Monitoria contínua ■ Correção de problemas Ex.: Supervisão direta	■ Identifica o problema e corrige nas novas ações ■ Foco nos resultados Ex.: Controle de qualidade

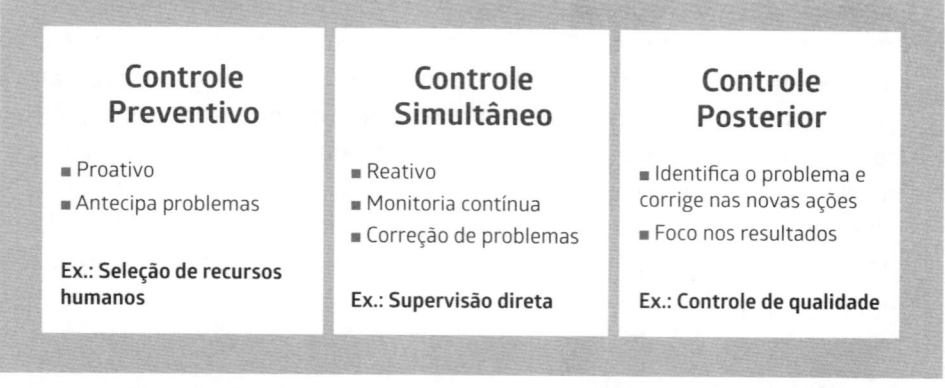

FIGURA 5.1 – Tipos de controle.

Este assunto foi cobrado recentemente da seguinte maneira:

3. **(FGV – 2015 – PGE-RO – Analista da Procuradoria – Administrador)** Uma empresa vem enfrentando alta rotatividade de pessoal, necessidades crescentes de treinamento, desempenho inadequado dos produtos e descontrole de gastos nos níveis gerenciais. Em uma reunião, a alta direção da empresa reconheceu a necessidade de serem implantados controles preventivos, como forma de evitar que esses problemas se repitam. São controles preventivos adequados à situação descrita:

   a) avaliação de desempenho; controle estatístico de processos; regras de nível de alçada.

b) testes de seleção de recursos humanos; inspeção de matérias-primas; regras de nível de alçada.

c) incentivos e bônus; controle estatístico de processos; demonstrativos financeiros.

d) testes de seleção de recursos humanos; inspeção de matérias-primas; demonstrativos financeiros.

e) avaliação de desempenho; controle de qualidade dos produtos; controle orçamentário.

À luz da verdade, se o candidato conhecesse os principais exemplos de cada tipo de controle já matava a questão. A alternativa A está errada, pois avaliação de desempenho é o típico exemplo de controle posterior e controle estatístico normalmente está associado ao controle simultâneo, mas também pode ser posterior. A alternativa B é nosso gabarito, teste de seleção visa escolher o candidato adequado ao cargo e à organização, a inspeção de matérias-primas visa evitar que o erro aconteça na fabricação e regras, assim como manuais, servem para tentar padronizar um desempenho desejado. A alternativa C está errada, incentivos e bônus não têm tanta relação com o controle, e demonstrativos financeiros são exemplos de controle posterior. A alternativa D e E já foram justificadas nesta resposta. Gabarito letra B.

5.4 Indicadores de desempenho

Já comentamos sobre algumas medidas de controle em capítulos anteriores, como o **Balanced Scorecard**, ferramenta baseada em indicadores de desempenho e o **benchmarking**, técnica de comparação de boas práticas. Os indicadores ou medidas de desempenho, se olhados de uma maneira mais ampla, podem servir como medição e controle de diversos pontos organizacionais, como os financeiros, os gerenciais, os humanos, tecnológicos e outros. **Chiavenato (2004)** explica que o sistema de medição funciona para que a organização ou um departamento específico consiga medir determinado desempenho, trata-se de um **modelo da realidade**. Tais modelos podem ser representados por diferentes formas, como relatórios rotineiros, sistemas de tecnologia, gráficos e outras formas, o importante é que com os resultados obtidos a organização consiga controlar e, quando necessário, agir de maneira corretiva. Os principais dados medidos são[45]:

---

45. CHIAVENATO, Idalberto. *Introdução à Teoria Geral da Administração*. 7. ed. Rio de Janeiro: Elsevier, 2004, p. 454.

Resultados: o que de fato pretende-se alcançar dentro de um espaço de tempo.

Desempenhos: o comportamento (forma de fazer) ou os meios instrumentais (recursos) que se pretende colocar em prática.

Fatores críticos de sucesso: os pontos-chave para que os anseios da organização tenham sucesso, tanto em seus resultados (ponto-fim) quanto em seu desempenho (ponto-meio).

Ainda conforme **Chiavenato (2004)**, na montagem de um indicador de desempenho, algumas etapas devem ser respeitadas:

Identificação dos clientes da medição: essas informações estão sendo medidas para quem analisar?

Definição dos objetivos da medição: qual o propósito dessa medição?

Identificação do sistema a ser medido: o que está sendo medido?

Análise do sistema de processos e metas: quais as metas, os fatores e processos críticos? Existem prioridades?

Geração de indicadores: quais são os parâmetros?

Montagem do sistema: como funcionará o sistema?

Implantação e aperfeiçoamento do sistema: como fazê-lo funcionar?

Os indicadores de desempenho representaram um grande avanço no controle organizacional, foram uma ótima contribuição deixada pelos teóricos matemáticos. Alguns exemplos de possíveis indicadores, atrelados ao seu campo de atuação:

Produção: produtividade; grau de qualidade, grau de refugo.

Logística: pontualidade na entrega, giro de estoque, custos de transporte.

5.5 Six-Sigma

É um programa que busca reduzir drasticamente as variações do padrão de desempenho e resultado desejado, isto quer dizer, na prática, que é voltado a reduzir o máximo possível dos defeitos, beirando-os ao zero. A expressão Six-Sigma representa o seu próprio objetivo, que é o alcance da **marca de 3,4 peças defeituosas a cada 1 milhão produzidas**. Esta marca seria para as empresas de nível 6 (Six-Sigma), a grande maioria encontra-se no nível 4, aproximadamente 6 mil defeitos para cada um milhão de produção.

A forma como é implementada o programa Six-Sigma envolve uma técnica muito similar ao PDCA (veremos em breve), que é chamada de **DMAIC**. Além de contar com a montagem de uma equipe credenciada e dividida por títulos, que veremos logo adiante.

O método DMAIC de implantação conta com cinco passos, que são eles:

Define (definir): definir o processo a ser melhorado, os resultados esperados e as pessoas interessadas.

Measure (medir): medir os dados envolvidos no projeto. Levantamento e análise estatística de dados.

Analyse (analisar): identificar os problemas principais, com base nas informações obtidas no passo anterior.

Improve (melhorar): propor e colocar em prática ações de melhoria, soluções para os problemas identificados na etapa anterior.

Control (controlar): continuar fazendo medições e análise de dados, como forma de assegurar que as ações propostas e implementadas estejam funcionando perfeitamente.

Maximiano explica que os profissionais por trás da implementação do programa passam por um sistema de formação e de credenciamento. O sistema os divide em níveis, conforme as atribuições e responsabilidades. A classificação de forma simplificada fica assim:

Sponsors (patrocinadores): definem o escopo do projeto de melhoria. Traçam as diretrizes do processo e aprovam os resultados propostos pelas equipes de projetos.

Champions (campeões): identificam possíveis projetos de melhoria e direcionam aos responsáveis. Prestam orientação para que os outros níveis desenvolvam as suas competências.

Master Black Belts (mestres faixa-pretas): são as mentes brilhantes por trás das estatísticas. Possuem muita experiência e por isso orientam os black belts (faixas-pretas) e assessoram os champions (campeões).

Black belts (faixas-pretas): são os gerentes de projetos (temporariamente), representam as áreas funcionais da organização. Possuem experiência e conhecimento tanto em estatística quanto na própria ferramenta Six-Sigma.

Green Belts (faixas-verdes): participam parcialmente dos projetos de Six-Sigma, conforme a necessidade dos **BBs (black belts)**. Em alguns momentos, conforme o seu nível de conhecimento no projeto em questão, podem liderar projetos em suas áreas.

White belts (faixas-brancas): representam o nível operacional da organização, auxiliam na implantação dos projetos, principalmente no que os Green belts precisarem.

Este assunto já foi cobrado recentemente, conforme a questão a seguir.

4. (CESPE– 2015 – TRE-MT – Analista Judiciário – Análise de Sistemas) O Six Sigma:

   a) é uma metodologia orientada a percepções individuais para eliminar defeitos.

   b) mede a qualidade conforme o estabelecido nas normas ISO.

c) é uma metodologia orientada a dados e fatos estatísticos para eliminar defeitos.

d) prioriza a obtenção de resultados relativos à qualidade e à melhora dos processos de forma resumida e sem planejamento.

e) propicia, sendo uma metodologia ágil, a redução de defeitos.

A alternativa A está errada, pois o programa Six Sigma envolve toda a organização. A alternativa B também está errada, pois o método Six Sigma é maior do que as normas ISO ou **até mesmo do que a metodologia de Qualidade Total, como, por exemplo, na sua amplitude e na profundidade de suas ferramentas**. A alternativa C é o nosso gabarito, pois o nível 6 representa exatamente o mínimo de defeitos possíveis, com base em dados e fatos estatísticos. A alternativa D está errada, pois é um método altamente planejado e controlado, já o erro da E fica pela agilidade, pois o início do processo demanda estudo e treinamento.

5.6 Brainstorming – Chuva de ideias

É uma das ferramentas mais famosas que auxiliam o administrador, principalmente na tomada de decisão. O brainstorming, também chamado de trovoada ou chuva de ideias, consiste em um método de captação de ideias e soluções para os mais diversos problemas, porém com um grande diferencial: sem julgamento das ideias, por mais absurdas que pareçam. É uma forma bem simples de gerar alternativas, porém muito eficaz. Em um primeiro momento, reúne-se um grupo ou uma equipe e começam a disparar diversas ideias para o problema, por melhor ou pior que sejam, elas são anotadas e consideradas, acaba-se descobrindo problemas e possibilidades que, no início, não eram visualizados. Depois de muitas ideias terem aparecido, as principais são selecionadas. De maneira prática, podemos pensar no seriado de televisão **House**, em que o médico especializado em diagnósticos raros introduz o problema, e a sua equipe começa a disparar ideias sem pré-julgamentos. À medida que o caso vai avançando, novas descobertas vão sendo feitas e exploradas. Este assunto já foi cobrado assim:

5. (CESGRANRIO – 2013 – Liquigás – Engenheiro Júnior – Elétrica) Um procedimento bastante difundido e aplicado no início de projetos é conhecido como brainstorming. Nesse procedimento,

    a) divulga-se a ideia principal do projeto a toda a equipe.

    b) quantifica-se os participantes do projeto, avaliando a importância de cada um deles.

c) discutem-se os pontos pertinentes do projeto de forma livre de restrições de ideias.

d) divulga-se amplamente a realização do projeto, ressaltando os benefícios do produto final.

e) faz-se a projeção contábil dos custos totais de cada etapa posterior do projeto.

O nosso gabarito é a alternativa C, pois vai direto ao ponto-chave do assunto, o néctar do brainstorming – a discussão dos pontos principais de forma livre e sem restrições ou qualquer forma de julgamento. Esta ferramenta de auxílio não necessariamente é usada com toda a equipe, assim como também não avalia o papel de cada um na busca de ideias, é um processo bem livre. A alternativa D está errada, pois esta ferramenta não tem este caráter motivacional, ligado a benefícios. A alternativa E não tem nada a ver com o assunto.

5.7 Método 635 – Brainwriting

Este método surge como uma decorrência do brainstorming, porém com uma simples, mas importante diferença: as ideias são escritas e não faladas. Se usado ao pé da letra, o método acontece assim: seis pessoas são reunidas, cada uma apresenta três propostas de solução para o problema em um papel, e o espaço de tempo para a realização desta tarefa é de 5 minutos. Decorridos os primeiros 5 minutos, o papel de uma pessoa é passado para o vizinho melhorá-la ou apresentar outras ideias novas. Este processo é interessante, pois em uma hora até cem ideias podem ser apresentadas.

As principais vantagens são as da facilidade do método, o custo baixo, a troca mútua de conhecimentos e o potencial de inovação e solução. Já os pontos negativos são relacionados com a restrição de tempo e de pessoas, situações que podem gerar pressão ou inibição e também a falta de discussão em grupo, tornando as ideias muito individualizadas.

Partindo para o contexto prático, podemos pensar que alguns funcionários possuem vergonha de discutir em grupo – em uma metodologia brainstorming –, já escrevendo as ideias em papéis, a intimidade é mais preservada. Isto acontece muito com o funcionário novo, que ainda não se sente seguro o suficiente para se expor.

5.8 Campo dinâmico de forças

Esta é uma filosofia que estuda as **mudanças** em grupos. Segundo **Kurt Lewin**, os grupos possuem uma espécie de equilíbrio, em que pesem **forças positivas (propulsoras da mudança) e forças negativas (restritivas, resistentes às mudanças)**; para o autor, quando uma mudança é introduzida, o equilíbrio, denominado **equilíbrio**

quase-estacionário, é rompido e sofre pressões positivas (de incentivo às mudanças) e negativas (contrárias às mudanças), gerando assim um **campo de forças**.

Chiavenato (2004), com a sua maestria rotineira, explica que a mudança é o resultado da competição entre forças impulsionadoras e forças restritivas. Quando a mudança é introduzida, existem forças que a impulsionam, enquanto outras forças levam à resistência. Todavia, antes de qualquer mudança e discussão em grupo, deve existir a análise das **forças exógenas** (externas, exemplos: economia e concorrentes) e **endógenas** (internas, exemplos: decisões e processos), pois a mudança não deve ser discutida e implementada ao acaso, baseada na inércia ou no improviso.[46]

Como podemos enxergar isso de forma prática? Imagine um grupo de estudantes do ensino médio que recebam a incumbência de fazer um trabalho gravado em vídeo, a princípio todos concordam em gravar o trabalho de marketing na praia, porém, ao decorrer do tempo, parte do grupo desperta o interesse de gravar o vídeo numa cachoeira, pois acredita encaixar melhor com a proposta do trabalho, contudo parte do grupo discorda, pois alega que o ambiente proposto é de difícil acesso e repleto de insetos, e fica a dúvida no ar de qual força irá prevalecer, a positiva (propulsora da mudança) ou a negativa (resistente). Como podemos perceber, tivemos uma situação de equilíbrio quase-estacionário (todos concordaram com a proposta inicial), e logo em seguida tivemos este equilíbrio rompido devido a um processo de mudança, em que contava com forças positivas, que desejavam a mudança do local do trabalho, e forças negativas, que prefeririam manter a proposta inicial.

Este assunto já foi cobrado pelas principais bancas, depois dessa explicação certamente parecerá bem fácil, confiram!

6. (CESPE – 2013 – INPI – Analista de Planejamento – Arquivologia) A teoria do campo de forças é amplamente utilizada no processo de mudança organizacional.

Sem sombras de dúvidas o nosso gabarito é certo, a teoria do campo de forças é justamente um dos principais pilares do processo de mudança.

5.9 Árvore de decisão

É uma ferramenta muito similar ao fluxograma, tendo como diferença o fato de **representar graficamente uma decisão** e não um processo. De maneira simples e lógica, a árvore de decisão *(Decision Trees)* nada mais é do que um diagrama que representa cada **decisão detalhada e os seus desdobramentos**, possibilitando assim

---

46. CHIAVENATO, Idalberto. *Introdução à Teoria Geral da Administração*. 7. ed. Rio de Janeiro: Elsevier, 2004. p. 375-376.

um processo de aprendizagem e de melhora na tomada de decisão, pois considera os desdobramentos e as influências do ambiente.

Quanto mais incerta ou maior for o risco de uma tomada de decisão, dada a sua complexidade, mais efetiva se torna a ferramenta citada. Confiram abaixo a ferramenta sendo usada num contexto prático.

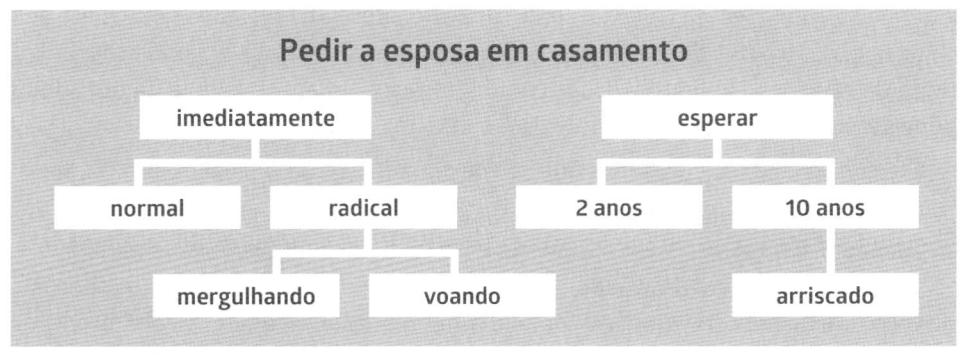

Pedir a esposa em casamento

- imediatamente
  - normal
  - radical
    - mergulhando
    - voando
- esperar
  - 2 anos
  - 10 anos
    - arriscado

FIGURA 5.2 – Árvore de decisão.

Na imagem, podemos visualizar o diagrama da árvore de decisão de um pedido de casamento, considerando o tempo e a forma, assim como as consequências das decisões.

Este assunto já foi cobrado recentemente, confira!

7. (FDC – 2014 – IF-SE – Secretário Executivo) A ferramenta utilizada na tomada de decisão, que consiste numa ilustração gráfica que permite visualizar as consequências das soluções alternativas disponíveis para resolver um problema, é conhecida como:

   a) gráfico de Gantt.

   b) matriz de Payoff.

   c) gráfico de eventos.

   d) árvore de decisão.

   Nosso gabarito não pode ser outro, senão a alternativa D. Como vimos anteriormente, a representação gráfica demonstra as possíveis decisões a serem tomadas, assim como os seus desdobramentos e suas consequências.

5.10 Panorama da qualidade

Apesar deste livro não ter o seu foco no assunto gestão da qualidade – tema amplo, que por si só justificaria um novo livro –, em algumas provas que cobram assuntos genéricos de administração, podemos encontrar questões sobre o conceito de qualidade e os seus principais autores, então vamos abordá-los da maneira em que costumam serem cobrados. Faremos um breve panorama das fases da qualidade. Após este ponto, discutiremos as principais ferramentas que auxiliam ao administrador assegurar a qualidade da organização.

Maximiano (2008) explica que a ideia da qualidade passou por vários momentos e definições ao longo da história, sendo discutida desde os filósofos gregos até aos chineses, assim como desde os artesãos renascentistas até aos engenheiros do período da revolução industrial. Hoje, conforme elucida o autor, a **ideia da qualidade pode ser associada a alguns conceitos**[47], conforme segue.

Excelência: significa o melhor que se consegue fazer, ou o nível mais alto de desempenho que se consegue alcançar. Fazer bem-feito desde a primeira vez é a fundamentação para a qualidade orientada para padrões superiores de desempenho.

Valor: em geral está associado aos produtos com maiores atributos ou funções, ou à sua raridade, como, por exemplo, diamantes. Acontece que, alguns produtos tidos como luxuosos em um país, podem não ser considerados como tal em outros países, o que torna da qualidade baseada em valor algo subjetivo, além do mais, neste ponto deve ser considerada a percepção do cliente, algumas pessoas, por exemplo, dão valor a produtos mais práticos, e não caros e cheios de atributos.

Conformidade: ideia de qualidade planejada e conforme. Se um produto deve ter tantos parafusos, não pode faltar nenhum. Se um professor tem que dar 40min de aula, ele não pode liberar o aluno mais cedo. Esta é a ideia da qualidade baseada na conformidade das especificações. Quando existem falhas ou desvios, falamos que o produto está em **não conformidade**.

Regularidade: qualidade como sinônimo de produto que não se deteriore rapidamente quando em uso ou no decorrer do tempo.

A qualidade passou por diferentes **eras** conforme foi avançando, tanto em termos subjetivos quanto tecnológicos. Alguns as dividem em três, quatro ou cinco eras, mas a corrente majoritária adota a ideia de quatro principais blocos. **Carvalho e Paladini (2008)**, com base na classificação proposta por **David Garvin**, estabelece a evolução da qualidade em quatro eras: **Inspeção, Controle Estatístico da Qualidade, Garantia da Qualidade e Gestão da Qualidade (ou qualidade total).**[48]

Era da Inspeção da Qualidade: com o *start* da Revolução Industrial, a produção passou a acontecer em maior escala, envolvendo muitos materiais e também muitos

---

47. MAXIMIANO, Antonio C. Amaru. *Teoria Geral da Administração*. Edição compacta. 2. ed. São Paulo: Atlas, 2012, p. 122.
48. CARVALHO, Marly Monteiro; PALADINI, Edson Pacheco. *Gestão da Qualidade:* Teoria e Casos. Rio de Janeiro: Elsevier, 2005, p. 7-8.

recursos humanos nas linhas de montagem. Desta maior dimensão de trabalho, surgiu a necessidade de um controle de qualidade, e neste momento foi por meio de inspeção durante e posterior ao trabalho, acontecendo, portanto, de maneira **reativa**. **Maximiano** (2008) explica que o inspetor não era ligado diretamente à árvore hierárquica do supervisor, garantindo assim uma maior independência no seu julgamento sobre a qualidade dos produtos e serviços.

Era do Controle Estatístico do Processo: neste momento, a qualidade baseada apenas em inspeções passou a ser impraticável, pois reflitam comigo, imaginem a produção sendo feita em massa, e inspetores procurando erros entre os milhares de produtos, diversos passariam batidos, não é mesmo? Eis que surge **Shewhart**, um dos grandes gurus da qualidade. Tanto ele quanto alguns colegas, como **Dodge e Roming**, passaram a desenvolver técnicas de amostragem capazes de solucionar problemas com a **aplicação de métodos estatísticos**. O interesse principal do controle de qualidade mudou da verificação para o efetivo controle, já a ênfase dessa era passou a ser a **uniformidade dos produtos**, necessitando assim de menos inspeções. Se pensarmos bem, essa uniformidade acontece até mesmo nos dias de hoje, como no caso dos lanches de *fast food*.

Era da Garantia da Qualidade: a mudança nesta era já começa na mentalidade, tornando do **controle algo proativo e não apenas reativo**. Na era da inspeção, a responsabilidade pelo controle era de um departamento independente, avançando para a era do *Controle Estatístico*, a responsabilidade foi dívida entre os departamentos de fabricação e de engenharia, já no momento da Era da Garantia da Qualidade, a responsabilidade passou **a irradiar em todos os departamentos**, com a cúpula executiva apenas planejando e executando superficialmente as diretrizes da qualidade. A ideia é de que o controle de qualidade deva ser feito por todos os departamentos funcionais, **abrangendo desde o início do projeto até o seu lançamento no mercado**, programas e sistemas capazes de planejar, medir e desenvolver a qualidade começaram a serem inseridos. **Juran**, com seu pensamento voltado no nível estratégico, e **Deming**, com o seu olhar focado no cliente, e não na simples fabricação, foram dois autores importantes para essa época.

Era da Gestão Total da Qualidade: Armand Feigenbaum, em 1961, apresentou o controle da qualidade total **(TQC – Total Quality Control),** trazendo como foco principal o cliente, os sistemas e o pensamento estratégico. Para este autor, a referência da qualidade já começaria na concepção do produto, baseando-se nas necessidades e nos desejos do cliente, além disso, a qualidade deveria ser feita de **maneira estratégica, ampla e holística**, isto significa dizer que não basta a fábrica produzir bem o produto, sem defeitos, se a embalagem do produto não é adequada, ou se o produto de entrega é péssimo; a qualidade deve ser feita em todos os setores e por todas as pessoas, interligando um processo ao outro. É importante destacar também que, em termos contemporâneos, a qualidade não é só a falta do defeito imediato, mas também é vista como **diferencial de competitividade**, uma vez que a qualidade pode ser refletida em um produto que tenha **longevidade de duração e manutenção**, isso é, ser capaz de receber assistência caso apresente defeitos em um tempo futuro. Por fim, concluindo esta visão resumida, devemos destacar as aparições cada vez mais frequentes das leis, normas, como a **ISO 9.000** e selos de qualidade, indo de encontro às exigências dos clientes, pois cada vez mais são bem informados, e também ao ponto de diferencial de competitividade.

Vamos praticar um pouco sobre esta abordagem.

8. (CESGRANRIO – 2011 – Petrobras – Técnico de Projetos, Construção e Montagem Júnior – Estruturas Navais) A adequação às normas e às especificações que regulam a elaboração de um produto pode ser medida pela quantidade de defeitos ou de peças defeituosas fora de especificação que o processo de produção apresenta. O elemento de qualidade mencionado acima é denominado:

   a) confiabilidade.

   b) conformidade.

   c) durabilidade.

   d) qualidade assegurada.

   e) qualidade garantida.

   Esse é um dos vieses mais explorados na qualidade, a ideia de conforme ou não conforme. Nosso gabarito é a alternativa B. Quando um produto ou um serviço não obedece a alguma norma, ou foge de sua especificação, dizemos que ele não está em conformidade com o pré-estabelecido.

9. (CS-UFG – 2015 – UFG – Assistente em administração) A definição "comprometimento estratégico com a melhoria da qualidade combinando métodos de controle estatístico da qualidade com um comprometimento cultural" refere-se a:

   a) círculos de qualidade.

   b) gestão da qualidade total.

   c) prêmios de qualidade.

   d) garantia de qualidade.

   Dentre as alternativas, a dúvida poderia pairar apenas entre as letras B e D. Ocorre que, quando existe um comprometimento estratégico de melhoria contínua, juntando com uma consciência cultural da organização toda, estamos de fato falando de gestão da qualidade total, pois aqui se nota atributos como a visão holística, o pensamento estratégico, a cultura de qualidade e a qualidade como diferencial. Gabarito letra B.

10. (FUNRIO – 2010 – SEBRAE-PA – Assistente em administração) A análise da variabilidade dos componentes da produção, buscando a distinção das variações aceitáveis das flutuações que indiquem problemas, é uma característica de qual etapa da história da qualidade?

a) Controle Estatístico da Qualidade.

b) Era da Inspeção.

c) Garantia da Qualidade.

d) Qualidade Total.

e) Melhoria Contínua da Qualidade.

As alternativas D e E não podem ser, pois representam algo muito similar, haja vista que a melhoria contínua da qualidade é um dos principais pilares da gestão da qualidade total, que é orientada para qualidade como plano estratégico e cultural de uma empresa – consciência! A alternativa B também não pode ser, pois a inspeção tinha como grande característica a verificação de produto por produto individualmente, e a nossa questão fala de análise de variabilidade, o que nos permite inferir que a questão está falando de amostragem, e por este motivo nosso gabarito é a alternativa A. A alternativa C também não corresponde diretamente ao enunciado.

5.11 Autores da qualidade

Este é outro ponto importante. Algumas bancas discutem sobre as contribuições dos famosos "gurus" da qualidade.

Walter A. Shewhart: é conhecido como o pai do **controle estatístico** voltado para a qualidade. Sua principal contribuição para a gestão da qualidade foi o desenvolvimento dos **gráficos de controle**, pois conseguiu juntar os fundamentos da estatística em uma ferramenta de fácil utilização e visualização no **chão de fábrica**. A ferramenta, quando aplicada, analisava o resultado das inspeções e, com os fundamentos da estatística, tornava possível à organização adotar uma função mais proativa, e não apenas reativa, pois a organização conseguia **prever parte dos defeitos antes que acontecessem**. Além desse estudo baseado em amostragem, Shewhart também propôs a ferramenta do **ciclo PDCA** (plan, do, check and action – em português: planejar, fazer, verificar e agir), posteriormente aprimorada e difundida por **Deming**.

William E. Deming: é, muito provavelmente, o autor mais famoso de gestão da qualidade, americano e discípulo de Shewhart, com formação em engenharia elétrica e doutorado em matemática e física pela famosa Universidade de Yale, Deming foi mandado pelas Forças Aliadas ao Japão com a difícil missão de auxiliar na reconstrução do país devastado, no período pós-guerra. Entre as suas principais contribuições, **Maximiano (2008)** destaca alguns alicerces, como a importância da **mentalidade preventiva; a necessidade do envolvimento da administração e a predominância do cliente**. Carvalho e Paladini (2005) explicam que Deming fundiu a sua visão de estatístico, muito ligada às coletas de dados, ao estilo de administração japonesa, em que tanto a alta administração quanto os trabalhadores buscavam uma melhoria contínua, conhecida como **Kaizen**. O ciclo PDCA, desenvolvido em conjunto com seu mestre Shewhart, caiu como luva, pois aprimorava de maneira adequada os principais fundamentos da melhoria contínua.

Em 1986, Deming lançou o livro *Out of the crises* **(Superando a crise)**. Nele, discorria sobre 14 princípios que deveriam pautar a administração da qualidade. Como este assunto já foi cobrado algumas vezes em provas, vamos discutir resumidamente cada princípio. O importante não é você decorá-los, mas sim entender a filosofia por trás do conjunto.

1	**Constância:** tornar constante o pensamento de melhorar o produto e/ou serviço, tendo como objetivo torná-lo competitivo, "perpétuo" e gerador de empregos.
2	**Nova filosofia:** em uma nova economia mundial, as organizações devem despertar para os novos desafios, assumir as suas responsabilidades e liderar o processo de mudança (liderança transformacional).
3	**Extinguir a dependência de inspeção em massa:** trocar a necessidade de inspeção em massa, produto por produto, por um processo total de qualidade, que abranja desde o início.
4	**Eliminar a prática de negociar apenas com base no preço:** deve minimizar o custo total. Para isso, insistir no desenvolvimento de um único fornecedor para cada item, estabelecendo uma relação de confiança, lealdade e longo prazo.
5	**Melhorar constantemente o processo de produção e serviços:** aperfeiçoar o sistema para melhorar a qualidade e a produtividade, podendo assim reduzir continuamente os custos.
6	**Estabelecer o treinamento no serviço:** capacitar e direcionar os trabalhadores.
7	**Instituir a liderança:** serve como ajuste, desenvolvendo e direcionando tanto os trabalhadores quanto os executivos a trabalharem melhor.
8	**Eliminar o medo:** dessa forma, os trabalhadores podem ser mais efetivos.
9	**Eliminar as barreiras entre os departamentos:** setores correlatos, como produção, pesquisa, vendas e projetos, devem trabalhar como equipe e não como blocos individuais. Esta sinergia permite uma antecipação de problemas e resultados.

(continua)

10	**Eliminar slogans, exortações e metas voltadas para os empregados:** ordens como "zero defeitos", "nível de qualidade perfeito" ou metas numéricas apenas criam clima de adversidade, já que os principais problemas pertencem ao sistema, o qual se encontra além do alcance dos empregados. Substitua números por liderança.
11	**Suprimir barreiras que impeçam os trabalhadores de sentirem orgulho de seu trabalho:** com as contribuições da TRH, ficou óbvia a ideia de que não dá para separar completamente os anseios do empregado com os anseios da organização, portanto é fundamental o trabalhador se sentir feliz onde trabalha.
12	**Suprimir barreiras que impeçam os gerentes e engenheiros de sentirem orgulho de seu trabalho:** basicamente, a ideia aqui é abolir os índices de mérito por objetivo alcançado. A ideia é que um fracasso impulsiona para outro, principalmente no campo motivacional.
13	**Estabelecer um consistente programa de educação e auto aperfeiçoamento:** crava o pensamento de melhoria contínua e direciona os trabalhos para os objetivos estratégicos.
14	**A transformação é tarefa de todos:** envolver todas as pessoas da organização no processo de mudança, de transformação.

A outra principal colaboração de Deming foi o desenvolvimento e difusão do ciclo PDCA. A maioria das questões de prova bate na tecla da **melhoria contínua**, pois a ideia-chave dessa ferramenta gerencial é transformar os problemas dos processos em oportunidades de melhoria, por isso a constante e contínua visão de melhoria. O ciclo PDCA é dividido em quatro etapas e tem este nome devido às iniciais do título – em inglês – de cada etapa, conforme segue.

Plan (planejar): estabelecimento de metas e de métodos para se alcançar o objetivo.

Do (executar): execução das tarefas nos moldes propostos pelo planejamento. Nesta fase, devem acontecer a educação e o treinamento dos funcionários, além de uma coleta geral de dados para uma posterior verificação.

Check (verificar): comparação dos resultados obtidos com o planejado. Algumas outras ferramentas da qualidade podem ajudar neste processo, como gráficos, relatórios, estudos por amostragem, etc.

Action (agir): atuação corretiva. Em suma, pode acontecer de duas maneiras, caso o planejado tenha acontecido de fato, a organização pode adotar como padrão ou até propor uma meta "maior"; caso o planejado não tenha acontecido, a organização deve agir sobre as causas que impediram o atingimento das metas.

Werkema explica o papel das ferramentas analíticas dentro do Ciclo PDCA, destacando que "a meta (resultado) é alcançada por meio do método (PDCA). Quanto mais informações (fatos e dados, conhecimentos) forem agregadas ao método, maiores serão as chances da meta e maior será a necessidade de utilização de ferramentas apropriadas para coletar, processar e dispor essas informações durante o giro do PDCA".

Vamos praticar!

11. (FCC – 2014 – TRT – 13ª Região (PB) – Técnico Judiciário – Tecnologia da Informação) O denominado Ciclo PDCA

    a) é uma forma de intervenção para adaptar as organizações às mudanças no ambiente em que atuam.

    b) também chamado de Ciclo da Melhoria Contínua, corresponde a uma ferramenta da qualidade utilizada para controlar e melhorar os processos de trabalho.

    c) consiste em um sistema de planejamento estratégico, baseado em indicadores financeiros e de melhoria da qualidade dos produtos ou serviços.

    d) analisa as variáveis críticas do desempenho institucional e propõe estratégias de curto, médio e longo prazo para aprimoramento.

    e) é um processo de construção de consenso dentro da organização e envolvimento de todos os colaboradores no alcance dos objetivos e metas fixados.

    Como explicado, as bancas batem no termo da expressão "Melhoria Contínua", portanto gabarito alternativa B.

12. (CESPE – 2016 – TRT – 8ª Região (PA e AP) – Técnico Judiciário – Área Administrativa) Na fase do planejamento do ciclo PDCA,

    a) realiza-se uma verificação bem detalhada do alcance dos objetivos.

    b) os resultados obtidos são monitorados e confrontados com os resultados previstos no planejamento.

    c) é necessário realizar todas as atividades que foram previstas no plano de ação.

    d) é necessário executar as ações previstas nas avaliações e nos relatórios relativos aos processos e, quando necessário, traçar novos planos de ação para melhorar ou padronizar esses processos.

    e) são estabelecidos os objetivos e definidas as metas para a execução do plano de ação.

    A alternativa A está errada, a verificação ocorre no *"check"* (verificar), assim como a alternativa B. As alternativas C e D não correspondem ao planejamento do ciclo PDCA, que está relacionado ao estabelecimento de metas, objetivos e métodos. Gabarito alternativa E.

Joseph M. Juran: assim como Deming, atuou na Reconstrução do Japão, desenvolvendo os pilares da qualidade junto com outros autores. Pensou ideias como o sistema puxado de produção, situação em que a produção ocorre conforme a demanda da clientela. Além disso, desenvolveu trabalhos sobre o conceito de "cliente interno" e, principalmente, sobre a mudança de enfoque na gestão da qualidade, saindo do plano operacional (algum departamento de qualidade específico ou acoplado à produção) para o plano estratégico. Outro trabalho seu relevante é a conhecida **trilogia da qualidade**, composta por **planejamento, controle e melhoria**. **No planejamento**, objetivos de desempenho devem ser estabelecidos e métodos propostos para alcançá-los, tudo com base nas necessidades dos clientes. **No controle**, o desempenho operacional deve ser avaliado e comparado com os objetivos propostos. Por fim, na **melhoria da qualidade**, a ideia é avançar para um novo nível de qualidade, sempre se aperfeiçoando. Nas palavras de **Carvalho e Paladini (2008)**, "foi o primeiro a propor uma abordagem dos custos da qualidade, classificando-os em três categorias: falhas (externas e internas), prevenção e avaliação".[49]

Armand Feigenbaum: sua principal contribuição para o mundo da qualidade, certamente foi a formulação do **Sistema de Controle Total da Qualidade**, presente em seu livro *Total Quality Control*. Acreditava que o tema qualidade deveria ser discutido (e controlado) de maneira **sistêmica**, ou seja, considerando a organização como um todo e as suas inter-relações.

Philip B. Crosby: defeito zero! Esta foi a grande contribuição deste autor. Famoso pela frase "**fazer certo desde a primeira vez**", Crosby era intolerante com o erro, pois dizia que o cliente exige certo nível de conformidade. Assim como Deming, Crosby também teve os seus pontos (princípios), alguns cabem destaque: Instaurar o dia do zero defeito; eliminar as causas dos erros; instalar os círculos de qualidade para monitorar o processo; obter o compromisso da cúpula com a gestão da qualidade e outros.

Kaoru Ishikawa: foi um dos principais divulgadores dos Círculos de Controles de Qualidade (CCQs) e das ferramentas da qualidade, de maneira mais específica. Entre as diversas ferramentas da qualidade, uma levou o seu nome, o **diagrama de causa e causa-efeito**, também conhecido como **espinha de peixe**, é rotineiramente chamado de **Diagrama de Ishikawa**.

O **diagrama de causa-efeito** serve para auxiliar o gestor na **organização das possíveis causas de determinado efeito**. Por exemplo, imaginem que estamos estudando o efeito "reprovar na prova de física", quais causas poderiam gerar isso?

---

49. CARVALHO, Marly Monteiro; PALADINI, Edson Pacheco. *Gestão da Qualidade:* Teoria e Casos. Rio de Janeiro: Elsevier, 2005, p. 13.

Procedimentos errados de estudo? Falta de material adequado? Quantidade de horas de estudos insuficientes? Com o diagrama, podemos **demonstrar esses anseios de maneira gráfica e até criar uma hierarquia das causas**. Este assunto já foi cobrado da seguinte maneira:

13. (CESPE – 2013 – TCE-ES) – Analista Administrativo – Administração) A ferramenta de qualidade denominada **diagrama de Ishikawa permite a obtenção direta e imediata:**

a) de uma síntese do escopo do projeto a ser desenvolvido.

b) da priorização dos principais problemas existentes na organização.

c) dos limites superiores e inferiores nos quais se espera que o processo trabalhe.

d) das possíveis causas que geram determinado efeito problema.

e) da descrição do processo mapeado da organização.

O diagrama de Ishikawa foca sempre nas possíveis causas que geram determinado efeito (problema, consequência), por isto nosso gabarito é a alternativa D.

O diagrama normalmente é apresentando da seguinte maneira: na esquerda costumam ficar as causas, e na direita o efeito (como se fosse a cabeça). Conforme exemplo abaixo:

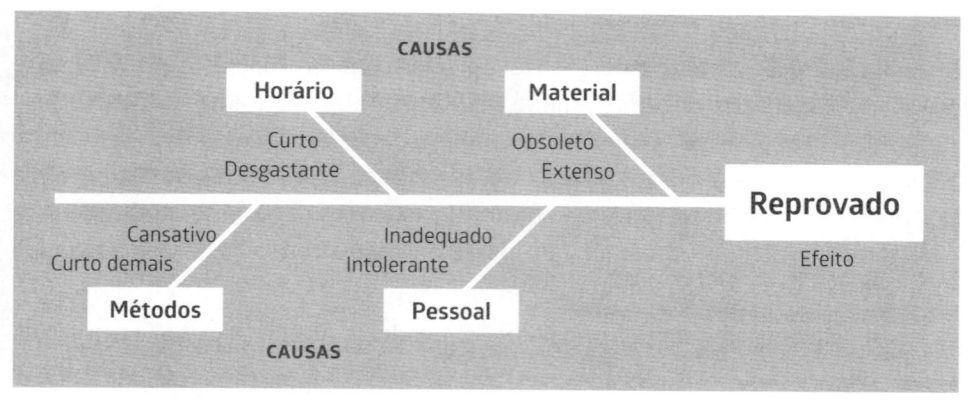

FIGURA 5.3 – Diagrama de Ishikawa.

No lado esquerdo, vemos as possíveis causas classificadas: **Horário**: muito curto? Muito desgastante? **Material**: é obsoleto (desatualizado)? É muito extenso? **Métodos**: está muito cansativo? Forma de estudar curta demais? **Pessoal**: professores e coordenadores inadequados? Intolerantes com a sua cultura? Na direita, vemos o efeito dessas possíveis causas, o aluno foi reprovado.

5.12 Fluxograma, organograma e histograma

Fluxograma é a representação gráfica de um processo. Procura estruturar e facilitar o entendimento dos mais diversos processos, com o auxílio de símbolos. Abaixo um exemplo simples de um fluxograma, narrando as ações que devem acontecer com o pedido ou não de um lanche.

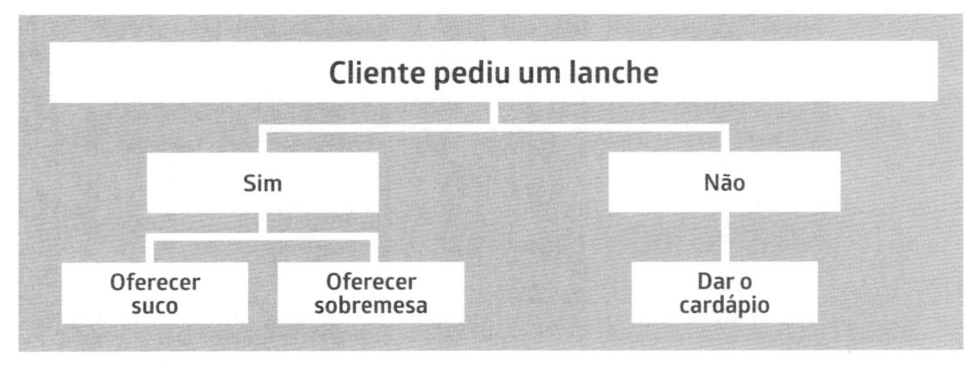

```
                    Cliente pediu um lanche
                    ┌───────────┴───────────┐
                   Sim                     Não
              ┌─────┴─────┐                 │
          Oferecer     Oferecer          Dar o
           suco       sobremesa         cardápio
```

FIGURA 5.4 – Fluxograma.

Organograma: é a representação gráfica da estrutura formal da empresa. Procura demonstrar a linha de autoridade que permeia pela organização e / ou a distribuição de cargos, departamentos e as suas respectivas comunicações.

Histograma: é um gráfico de barras! Daqueles bem tradicionais do Excel. Sua finalidade é tornar possível e mais fácil a visualização do conjunto de dados, e entender o valor padrão (central) e as dispersões que acontecem num período.

Vamos treinar?

14. (IDECAN – 2014 – Colégio Pedro II – Auxiliar em Administração) São consideradas vantagens dos fluxogramas, EXCETO:

   a) possibilidade de uma melhor compreensão das ordens e instruções.

   b) possibilidade de estudar, corrigir e obter a melhor sequência de operação.

   c) permissão de localizar e eliminar os movimentos inúteis ou desnecessários.

   d) permissão de visualização da estrutura do organismo de forma simples e direta.

   e) possibilidade de simplificação do trabalho pela combinação eficiente das diversas fases ou etapas de uma tarefa.

   Essa é uma questão muito simples, mas ao mesmo tempo muito interessante. Todas as alternativas que tratam de fluxograma estão certas. Como assim? A alternativa D está errada porque a ferramenta que permite a visualização da **estrutura do organismo** é o **organograma**.

5.13 Princípio de Pareto

Este é um clássico de prova! Sugiro uma leitura cuidadosa, pois este princípio serve como alicerce para muitos assuntos importantes, como a **Curva ABC**, gráfico que permite classificar os estoques de acordo com a sua importância, **A** para os importantes, **B** para os intermediários e **C** para os menos importantes.

O **gráfico** (ou princípio) **de Pareto** foi uma percepção e descoberta extraordinária para a administração, economia e áreas correlatas. Há muito tempo notou-se que 80% da riqueza (financeira) de um país estava na mão de 20% da população, e descobriu-se que essa relação percentual ou algo próximo acontece nas mais diversas situações. Por exemplo, 20% dos problemas de uma organização geram 80% dos defeitos, o que significa dizer que poucos problemas são responsáveis pela grande maioria dos defeitos. No exemplo da **Curva ABC**, podemos pensar que os produtos de classe A (20%) representam 80% do lucro de uma organização. Imaginemos a venda de sorvetes, por mais que a sorveteria também venda chicletes, chocolate, doces e outros alimentos, apenas os sorvetes e talvez as paletas italianas representam efetivamente o lucro da empresa.

15. (CESPE – 2013 – MPU – Analista – Gestão Pública) A utilização do princípio de Pareto pode fornecer ao analista organizacional subsídios para o desenvolvimento das atividades mais demandadas pelos cidadãos, as quais são, geralmente, poucas se consider todas as atividades desenvolvidas pela organização.

    A questão está correta, e a ideia é simples de entender. Dentro da infinidade de atividades necessárias para o sucesso de uma organização, seja ela privada, seja pública (como uma prefeitura), são algumas poucas atividades que requerem uma maior atenção, em outras palavras, seria como dizer que 20% de todo o trabalho que a organização faz representa 80% das necessidades das pessoas.

5.14 Diagrama de dispersão e gráfico de controle

Diagrama de dispersão: Funciona estabelecendo o relacionamento entre duas variáveis, à medida que uma variável muda, qual resultado ocorre na outra? É para esta pergunta que esta ferramenta existe.

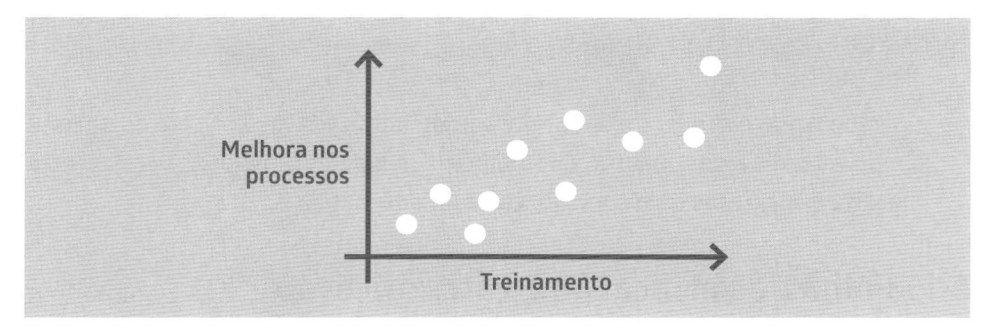

FIGURA 5.5 – Diagrama de dispersão.

No exemplo acima, podemos notar que à medida que o treinamento na empresa é aumentado, a melhora nos processos (fabris, por exemplo) também é. Este é um exemplo simples, mas que demonstra a funcionalidade do diagrama, que basicamente faz a **correlação entre duas variáveis**.

Gráfico de controle: Funciona para mensurar a variabilidade por trás de um processo, se está passando do padrão, se está mantendo o padrão ou se está abaixo do padrão. Por exemplo, imaginem o faturamento de uma empresa ao passar dos dias.

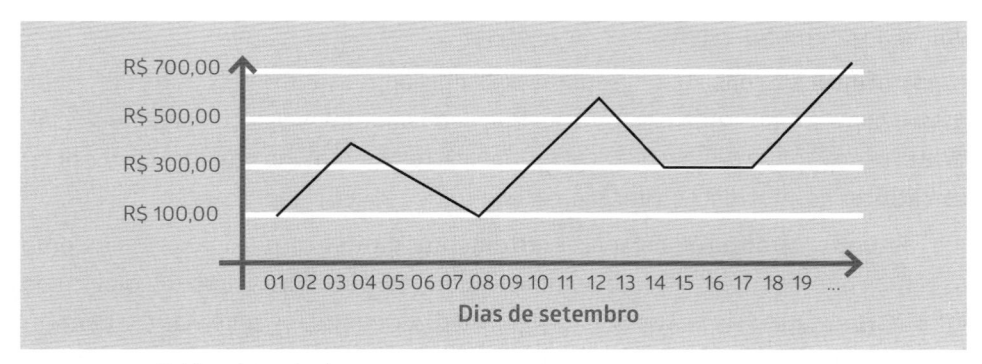

FIGURA 5.6 – Gráfico de controle.

Com o gráfico, conseguimos notar que a organização recebe uma média de R$ 300,00 por dia, porém teve pico de variações. A visualização de variação permite à organização estudar o porquê de determinados resultados.

16. (FCC – 2010 – TRF – 4ª Região – Analista Judiciário – Área Administrativa) Na gestão da qualidade, a ferramenta que auxilia o gestor a visualizar a alteração sofrida por uma variável quando outra se modifica é denominada:

a) gráfico de Pareto.

b) diagrama de dispersão.

c) histograma.

d) diagrama de causa e efeito.

e) carta de controle.

Questão tranquila, pois trata da relação que uma variável tem com outra, mudando à medida que a outra se modifica. A ferramenta responsável por esta função é o diagrama de dispersão, gabarito alternativa B.

5.15 Folha de verificação e estratificação

Folha de Verificação: podemos dizer que é a ferramenta da qualidade inicial para que se possa usar as outras. Por que isso? É simples, a folha de verificação nada mais é do que um formulário (instrumento) de coleta de dados. Com as informações recolhidas, podemos, por exemplo, aplicar um diagrama de dispersão sobre dois aspectos coletados. Tá difícil, né? Vamos pensar num caso prático: temos uma indústria de carros e queremos coletar dados referentes ao processo de fabricação, então elaboramos um formulário para a gerência coletar os dados e preencher alguns aspectos, como quantidade de carros fabricados por cor, quantidade de carros defeituosos, quantidade de carros produzidos por dia de semana e muitos outros dados de diferentes aspectos.

Estratificação: consiste em separar por subgrupos as informações de um grupo maior, por exemplo: uma organização que venda automóveis pode separar inicialmente os seus produtos em duas categorias, carros e motos, no grupo de carros pode **estratificar** as informações por marca, cor, combustível, cilindradas, etc.

O assunto gestão da qualidade, as ferramentas da área da qualidade, assim como as tantas outras que auxiliam o administrador, compõem um grupo teleológico de informações muito rico e vasto. Isto significa dizer que as ferramentas e o panorama da qualidade formam um assunto interminável, mas acredito ter apresentado o néctar cobrado nos concursos neste capítulo. Antes das questões propostas, aproveito para me despedir e espero que tenham apreciado a leitura desta obra; que contribua para a sua aprovação e que tenha ampliado o seu conhecimento. Até a próxima e muito obrigado! Pratiquem sempre!!!

Questões propostas

17. (CESPE – 2012 – TJ-AC – Analista Judiciário – Administração) O departamento de qualidade é o principal responsável pelo sistema de qualidade de uma organização. Contudo, isso não exime outros departamentos da instituição da responsabilidade em relação à qualidade.

18. (CESPE – 2012 – TJ-RR – Administrador) De acordo com as ideias de Feigenbaum e Ishikawa, precursores da teoria do Controle da Qualidade Total (TQC), a qualidade dos processos organizacionais é de responsabilidade específica da própria gerência de qualidade.

19. (CESPE – 2016 – TCE-PA – Auditor de Controle Externo – Área Fiscalização – Administração) Uma das principais ideias e contribuições para a gestão da qualidade é a criação dos departamentos de controle da qualidade com a atribuição principal de preparar e ajudar a administração do programa de qualidade.

20. (UFBA – 2012 – UFBA – Vestibular de Arquivologia) O processo de controle engloba, além da ação de controle, o acompanhamento, a avaliação e o replanejamento ou retroplanejamento.

21. (CESPE – 2010 – MPU – Analista Administrativo) A distribuição do trabalho entre os departamentos faz parte do processo de controle.

22. (CESPE – 2013 – TCE-RO – Agente Administrativo) Nas organizações, são considerados os níveis de controle estratégico, operacional e administrativo. No controle administrativo, o foco recai sobre as atividades e o consumo de recursos.

23. (CESPE – 2012 – TJ-AC – Analista Judiciário – Administração) Na era do controle estatístico, a inspeção um a um de todos os produtos foi realizada no intuito de garantir excelência na produção.

24. (CESPE – 2012 – ANATEL – Técnico Administrativo) Comparar o desempenho alcançado com o previsto e adotar medidas corretivas são características do processo de controle.

25. (CESPE – 2013 – INPI – Analista de Planejamento – Administração) A administração burocrática proposta por Weber é fundamentada em métodos e processos bem descritos, autorreferentes e com mecanismos de controle a posteriori.

26. (CESPE – 2016 – TCE-PA – Auditor de Controle Externo – Área Fiscalização – Administração) Controles orçamentários realizados nos níveis intermediários da organização para monitorar e controlar as despesas de várias unidades no decorrer de um exercício anual são considerados controles táticos.

27. (CESPE – 2011 – MMA – Analista Ambiental) O PDCA, também chamado de roda de Deming, é um ciclo que não para, por se tratar de uma sequência de atividades que são percorridas de maneira cíclica, para melhorar as atividades.

28. (CESPE – 2012 – Banco da Amazônia – Técnico Científico – Administração) Na metodologia gerencial que adota o denominado giro do PDCA para a melhoria do processo, a letra C nessa sigla significa correção, ou seja, eliminação das causas identificadas como geradoras dos desvios.

29. (CESPE – 2014 – ICMBIO – Técnico Administrativo) O diagrama de Pareto é uma ferramenta que permite classificar e priorizar oportunidades de melhoria; facilita a tomada de decisão por parte dos gestores.

30. (CESPE – 2014 – TC-DF – Analista de Administração Pública – Serviços) Caso se pretenda descrever graficamente os itens responsáveis pela maior parcela dos problemas no âmbito da recepção de um órgão público, poderá ser utilizada a ferramenta de gestão da qualidade denominada diagrama de Pareto.

31. (CESPE – 2013 – Telebrás – Técnico em Gestão de Telecomunicações – Assistente Administrativo) O fluxograma é empregado para representar um processo de maneira esquemática.

32. (CESPE – 2015 – TRE-GO – Analista Judiciário – Área Administrativa) Caso se pretenda conhecer a variação existente em um processo, deve-se utilizar um histograma, que, de forma rápida e por meio de amostra, possibilita conhecer a população

33. (CESPE – 2007 – SERPRO – Analista – Gestão Empresarial) Brainstorming e a técnica Delphi são métodos adequados para a fase de identificação de riscos.

34. (CESPE – 2013 – TRT – 17ª Região (ES) – Analista Judiciário – Área Administrativa) Uma ferramenta da qualidade que pode ser utilizada para melhoria dos processos organizacionais é o brainstorming, que fomenta o surgimento de grande quantidade de ideias, em virtude da suspensão de julgamento em um primeiro momento.

35. (CESPE – 2013 – CPRM – Analista em Geociências – Administração) A árvore das decisões organiza o processo decisório, direcionando graficamente a decisão a ser tomada.

36. (CESPE – 2008 – FUB – Administrador) O gráfico de controle pode ser utilizado para verificar se o número de alunos que ingressam na universidade está dentro dos limites esperados no planejamento inicialmente definido.

37. (CESPE – 2013 – Telebrás – Especialista em Gestão de Telecomunicações – Administrativo) Ao realizar levantamento sobre o desenvolvimento de um processo, um analista de processo separa os dados em categorias, a fim de direcionar a ação corretiva para as categorias problemáticas. Este processo é denominado estatística de estratificação.

38. (CESPE – 2013 – TUNIPAMPA – Administrador) Considere que um administrador pretenda analisar a existência de correlação entre o número de reclamações dos alunos contra os professores e a quantidade de faltas dos professores. Nessa situação, uma das ferramentas de qualidade que o administrador poderá empregar é o diagrama de dispersão.

39. (CESPE – 2012 – MPE-PI – Técnico Ministerial – Área Administrativa) Entre os quatorze princípios que caracterizam a filosofia da qualidade de Deming, encontra-se a eliminação da administração por objetivos.

40. (CESPE – 2008 – FUB – Administrador) A escolha e a celebração de negócios com fornecedores, com base exclusivamente no preço, estão de acordo com um dos princípios de Deming

41. (CESPE – 2013 – ANCINE – Analista Administrativo – Área 1) A trilogia da qualidade proposta por Joseph M. Juran pode ser aplicada a qualquer tipo de produto ou serviço e está assentada em três processos básicos: planejamento, controle da qualidade e aperfeiçoamento.

42. (CESPE – 2013 – MPOG – Técnico de Nível Superior) Uma organização cujas ideias sejam pautadas nas propostas de Crosby deverá adotar programas em que os colaboradores sejam orientados a fazer suas atividades corretamente desde a primeira vez, buscando-se o zero defeito.

43. (CESPE – 2013 – SERPRO – Analista – Gestão Empresarial) O organograma é a representação gráfica ideal das atividades de pessoas envolvidas na execução de um processo passo a passo.

44. (CESPE – 2016 – DPU – Agente Administrativo) No organograma das entidades públicas ou privadas, estão presentes tanto a estrutura organizacional denominada formal quanto a estrutura caracterizada como informal.

45. (CESPE – 2016 – TCE-PA – Auditor de Controle Externo – Área Administrativa – Administração) O diagrama de Ishikawa tem a finalidade de listar todas as atividades de um processo e apresentar uma sequência lógica do que é realizado em cada uma das etapas.

46. (CESPE – 2010 – DETRAN-ES – Administrador) Segundo um dos princípios de Deming, o lançamento de campanhas de defeito zero e a criação de slogans pelas organizações devem ser utilizados para incitar os colaboradores a alcançar o nível zero de falhas e os níveis mais altos de produtividade.

47. (CESPE – 2013 – Telebrás – Técnico em Gestão de Telecomunicações – Assistente Administrativo) William Deming, um dos principais teóricos da gestão da qualidade, formulou o conceito de corrente de clientes, segundo o qual cada estágio do processo é cliente do estágio anterior e, por sua vez, torna-se fornecedor do estágio seguinte.

48. (CESPE – 2015 – MPOG – Analista Técnico Administrativo – Cargo 2) Entre os pontos para a melhoria da qualidade citados por Deming, há um relativo a criar constância de propósito e outro relacionado à não eliminação de quotas ou padrões de trabalho.

49. (UFBA – 2009 – UFBA – Administrador) O conhecimento da situação desejada fundamenta a fixação dos objetivos organizacionais e o estabelecimento de padrões de controle.

50. (CESPE – 2013 – INPI – Analista de Planejamento – Administração) Um dos princípios da teoria da qualidade total é o trabalho proativo voltado para a prevenção de defeitos.

Capítulo 5 – Gabarito

Questão	Resposta
01	B
02	C
03	B
04	C
05	C
06	C
07	D
08	B
09	B
10	A
11	B
12	E
13	D
14	D
15	C
16	B
17	C
18	E
19	C
20	C
21	E
22	E
23	E
24	C
25	E

Questão	Resposta
26	C
27	C
28	E
29	C
30	C
31	C
32	C
33	C
34	C
35	E
36	C
37	C
38	C
39	C
40	E
41	C
42	C
43	E
44	E
45	E
46	E
47	C
48	E
49	C
50	C

Bibliografia 6

ARAUJO, Luis César G. de. *Organização, Sistemas e Métodos e as tecnologias de gestão organizacional:* arquitetura organizacional, benchmarking, empowerment, gestão pela qualidade total, reengenharia. v. 1. 5. ed. São Paulo: Atlas, 2011.

CASTIGLIONI, José Antonio de Mattos. *Logística Operacional*: Guia Prático. 1. ed. São Paulo: Érica, 2007.

CARVALHO, Marly Monteiro; PALADINI, Edson Pacheco. *Gestão da Qualidade:* Teoria e Casos. Rio de Janeiro: Elsevier, 2005.

CHIAVENATO, Idalberto. *Introdução à Teoria Geral da Administração*. 7. ed. Rio de Janeiro: Elsevier, 2004.

CORRÊA, Henrique Luiz. *Administração de Cadeias de Suprimentos e Logística, o essencial.* São Paulo: Atlas, 2014.

DENCKER, Ada M. *Métodos e técnicas de pesquisa em turismo*. São Paulo: Futura, 2001.

FORD, Samuel Crowther Henry. *My Life and Work*. Coleção da Universidade Harvard, 1922.

LOBOS, Julio. *Encantando o Cliente, Externo e Interno*. São Paulo: J. Lobos, 1993

LODI, João Bosco. *Estratégia de Negócios e Diretrizes Administrativas*. Revista de Administração de Empresas, vol. 9, nº 1, 1969.

KAPLAN, Robert S.; NORTON, David P. *Estratégia em ação – balanced scorecard*. Rio de Janeiro: Campus, 1997.

KIM, W. Chan; MAUBORGNE, Renée. *A Estratégia do Oceano Azul*: Como Criar Novos Mercados e Tornar a Concorrência Irrelevante. Rio de Janeiro: Elsevier, 2005.

KOTLER, Philip; KARTAJAYA, Hermawan; SETIAWAN, Hermawan. *Marketing 3.0*: as forças que estão definindo o novo marketing centrado no ser humano. Rio de Janeiro: Elsevier, 2012.

KOTLER, Philip; KELLER, Keven Lane. *Administração de Marketing*. 12º ed. São Paulo: Pearson Education, 2012.

MAXIMIANO, Antonio C. Amaru. *Teoria Geral da Administração*. Edição compacta. 2. ed. São Paulo: Atlas, 2012.

MINTZBERG, Henry; AHLSTRAND, Bruce; LAMPEL, Joseph. *Safári de Estratégia*: Um roteiro pela selva do planejamento estratégico. 2. ed. Porto Alegre: Bookman, 2010.

MINTZBERG, Henry; LAMPEL, Joseph; QUINN, James B.; GHOSHAL, Sumantra. *O processo da estratégia:* conceitos, contextos e casos selecionados. 4. ed. Porto Alegre: Artmed, 2007.

OLIVEIRA, Djalma de Pinho Rebouças de. *Planejamento Estratégico* – conceitos, metodologias e práticas. 24. ed. São Paulo: Atlas, 2007.

PORTER, Michael Eugene. *Competitive Strategy*: techniques for analysing industries and competitor. Nova York: Free Press, 1980.

ROBBINS, Stephen P. *Comportamento Organizacional*. 11. ed. São Paulo: Pearson Prentice Hall, 2005.

SOBRAL, Felipe; PECI, Alketa. *Administração:* Teoria e prática no contexto brasileiro. São Paulo: Pearson Prentice Hall, 2008.

WERKEMA, Cristina. *Métodos PDCA e DMAIC e suas ferramentas analíticas*. Rio de Janeiro: Elsevier, 2013.

Anotações

ANOTAÇÕES

ANOTAÇÕES

GRÁFICA PAYM
Tel. [11] 4392-3344
paym@graficapaym.com.br